CANDIDA
ALBICANS

Je tiens à remercier les individus qui ont contribué de près ou de loin à ce livre.

Avant tout, Jim Stott de Flora Distributors, qui fut le premier à me parler du candida albicans. Le Dr Kem Shahani pour ses conseils précieux au sujet du rôle des bactéries lactiques dans l'organisme humain. Le Dr William Crook pour sa préface à ce livre. Michèle Juban et Ginette Désilets pour leur collaboration et leurs suggestions.

Finalement, un remerciement spécial à Martine Garneau pour sa collaboration de tous les jours.

Le Candida Albicans, l'autre maladie du siècle
©Daniel-J. Crisafi, N.D.

Tous droits de reproduction français nord-américain réservés à Édiforma

Dépôt légal :
3e trimestre 1987
Bibliothèque nationale du Québec

ISBN : 2-920878-04-2

Édiforma
4380, rue Saint-Denis
Montréal (Québec) H2J 2L1
Adresse postale :
C.P. 294, Succ. Snowdon
Montréal (Québec) H3X 3T4

Diffusion en librairie : Flammarion Limitée

**Fondation de recherche et d'information sur le Candida Albicans (Québec) :
Dr Daniel Crisafi, N.D. (514) 845-9934**

Imprimé au Canada / Printed in Canada
Octobre 1987

Couleur or : Santé
Recherchiste pour la collection : Gilles A. Bordeleau, N.D. (514) 688-8205

CANDIDA
ALBICANS
L'AUTRE MALADIE DU SIÈCLE

Daniel J. Crisafi

FORMA

Table des matières

Préface

Mise au point

Préface

Vous sentez-vous mal de partout? Êtes-vous incommodés par la fatigue, les maux de tête, la dépression et les pertes de mémoire? Souffrez-vous de symptômes causés par des troubles reliés aux organes reproducteurs incluant des problèmes de prostate, perte de l'appétit sexuel et/ou impuissance, tension prémenstruelle, irrégularité menstruelle, vaginites à répétition, endométriose ou infertilité?

Êtes-vous incommodés par des problèmes digestifs, des muscles et des articulations douloureux, de la sclérose en plaques, de l'urticaire chronique, du psoriasis ou autre problème de peau?

Si votre réponse est «oui» à n'importe laquelle de ces questions et si vous avez pris beaucoup d'antibiotiques, la pilule contraceptive ou des corticostéroïdes, il y a des chances que vos problèmes de santé soient reliés à une levure courante et habituellement bénigne : le **candida albicans**.

Depuis des siècles, cette levure est reconnue comme la cause de problèmes vaginaux, de peau et d'éruptions buccales. Néanmoins, ce n'est qu'après les observations brillantes du docteur C. Orian Truss que les médecins (et les autres) réalisèrent que cette «créature bénigne» pouvait prendre de l'importance en causant tant de problèmes de santé.

Il y a vingt-cinq ans le docteur Truss, allergiste à Birmingham, remarqua pour la première fois que des infections locales au candida albicans étaient reliées à d'autres parties du corps. Le docteur Truss fit part de ses découvertes lors d'une conférence médicale à Toronto en 1977. Il les rapporta également dans une série de quatre articles publiés dans le «Journal of Orthomolecular Psychiatry» au Canada en 1978. Encore récemment, seuls quelques médecins avaient approfondi le sujet de l'interaction levure / organisme humain.

À partir de 1982, les écrits au sujet des maladies reliées au problème des levures commencèrent à être diffusés. Aujourd'hui, plusieurs praticiens de la santé et un nombre incalculable de personnes affectées par les levures ont découvert qu'une diète spécifique et un traitement antifongique peuvent aider de façon drastique à résoudre des problèmes de santé au préalable incurables.

Je suis devenu conscient des maladies reliées au problème des levures en 1979; au cours des huit dernières années, j'ai vu des centaines de patients réagir de manière positive à un simple traitement. Si vous êtes affectés par des problèmes de santé reliés aux levures, vous aurez besoin de l'aide, du support, de l'encouragement et de la supervision d'un professionnel de la santé qui puisse prescrire un traitement antifongique et superviser le programme anticandida. Également, vous aurez besoin d'une diète nutritive et bien équilibrée, composée d'aliments qui ne favorisent pas la croissance des levures.

Contrôler ce problème relié aux levures et recouvrer la santé ne sera pas facile. Cela demandera parfois des mois, voire même des années, de persévérance. Ce livre de Daniel J. Crisafi devrait vous aider en ce sens.

William G. Crook, M.D.
Auteur du livre *The Yeast Connection*

Mise au point

Les levures

Étant donné que le candida est une levure, certains individus semblent croire qu'il faut éviter de prendre toute forme de levure. Ils croient que la levure alimentaire desséchée et la levure vivante peuvent causer le candida. Rien n'est plus faux.

Il existe plusieurs variétés de levures; toutes ne sont pas identiques. La levure qui cause des problèmes est celle de type candida (ou Monilia) albicans. Les autres levures ne sont pas mises en cause (sauf peut-être le candida tropicalis). Les levures utilisées comme suppléments alimentaires sont d'un type complètement différent. Il y a des millions de gens qui utilisent la levure comme supplément alimentaire avec d'excellents résultats.

Lorsqu'elle se transforme de la forme unicellulaire (forme de levure) à la forme mycélienne, la levure candida cause des problèmes; sous la forme de levure, elle est presque inoffensive.

Cependant, les gens atteints de candida ou d'allergies multiples doivent s'abstenir de prendre de la levure sous toutes ses formes et ce pour les premières semaines du traitement et possiblement plus longtemps.

Le docteur William Crook recommande la stratégie suivante : durant la première semaine du traitement, évitez toute levure. Si vous vous sentez déjà mieux et que vos symptômes diminuent, vous pouvez alors vérifier votre tolérance à la levure de la façon suivante : le huitième jour du traitement, prenez un petit morceau de levure de bière (un quart de comprimé). Si vous ne constatez pas de réaction en dix minutes, prenez-en davantage. Continuez ainsi jusqu'à ce que vous ayez pris tout le comprimé. Si vous n'avez pas de réactions, prenez un autre comprimé quelques heures plus tard. Selon le docteur Crook, si vous ne réagissez pas après quelques jours, alors vous n'êtes **probablement pas** allergique à la levure et vous pouvez en prendre de façon raisonnable.

À mon avis, il serait prudent d'éviter la levure pendant au moins trois ou quatre semaines durant le traitement de la candidose. L'individu pourra ensuite la réintroduire graduellement dans sa diète s'il le veut. Si elle ne cause pas de réaction allergique, il n'y a aucun inconvénient à prendre des suppléments de levure.

Cette crainte de la levure a été engendrée par quelques fabricants de produits naturels américains qui ont su profiter de la popularité du candida, d'une mauvaise connaissance de cette maladie et du fait que la levure est un allergène potentiel.

Il est vrai que certains individus sont allergiques à la levure : ils ne sont pas cependant légion et les produits «sans levure» peuvent les aider. Lorsqu'un praticien de la santé recommande des suppléments alimentaires pour traiter un problème particulier, il est sage d'éviter les produits qui contiennent de la levure, du sucre, du maïs, du soja, du blé et autres éléments allergènes. Même si le lait, le maïs et le blé figurent parmi les produits allergènes, la majorité ne les évite pas pour la vie! Pourquoi faire autrement en ce qui concerne la levure?

La levure est une excellente source de vitamines, minéraux et acides aminés. Elle est probablement la meilleure source naturelle de vitamines du complexe B. Elle est une excellente source de sélénium et de chromium. Le sélénium est un antioxydant essentiel et aide probablement à prévenir le cancer. Le chromium présent dans la levure de bière aide à réduire le taux de cholestérol et de triglycérides et augmente la tolérance au glucose.

La levure, plus particulièrement de bière, n'est pas un supplément miracle. Elle est par contre **un aliment complet et concentré**. Éviter d'en prendre sans raison valable, c'est se priver d'un excellent aliment. Faites attention à cette propagande contre la levure. Elle est souvent sans fondement.

En terminant, je dois préciser que je prends un supplément de levure de bière (3000 mg) tous les jours et je n'ai pas l'intention de devenir malade!

Les vaccins contre le candida albicans

Mon objectif n'est pas de faire le procès des vaccins. Certains praticiens québécois ont recours à un vaccin contre le candida. Que doit-on en penser?

Le principe des vaccins est le suivant : on injecte dans l'organisme une préparation antigénique (une substance spécifique qui provoque la production par le corps d'anticorps); le corps ayant produit des anticorps spécifiques à cet antigène, il peut, si l'antigène se représente, le combattre. Le système immunitaire humain a une sorte de mémoire. Dans son laboratoire, il formule des anticorps pour chaque antigène qui essaie de l'envahir. L'anticorps reste ensuite dans la «mémoire» du système immunitaire pendant une période de temps qui varie selon différents facteurs. Quand l'antigène attaque de nouveau l'organisme, le système immunitaire reconnaît l'intrus et l'attaque plus rapidement, ayant déjà formulé l'anticorps spécifique. Lorsque l'individu est en santé, on peut lui injecter de petites doses d'un virus, de bactéries, etc. et ainsi le préparer à une attaque éventuelle. Cela semble logique.

Plusieurs facteurs ne sont pas pris en considération. La vaccination sous-entend que le système immunitaire est en mesure de fonctionner convenablement. Ce qui n'est pas toujours le cas. La durée de l'immunité est limitée. La vaccination procure un sentiment de sécurité illusoire. On a été vacciné, on croit n'avoir plus rien à craindre et on mène un mode de vie qui mènera tôt ou tard à la maladie. Qui plus est, ces germes ou virus peuvent muter et donner naissance à de nouveaux virus plus résistants, plus dangereux. En effet, les microbes, virus et bactéries (ainsi que le candida) se reproduisent à un rythme très rapide… Ils peuvent s'adapter beaucoup plus vite que nous.

La vaccination ne remplace aucunement la diète prescrite pour affamer la levure. Elle est la condition *sine qua non* de la réussite du traitement. Le vaccin n'aide pas à refaire la flore microbienne et, sans flore microbienne saine, le candida peut proliférer de nouveau.

Avant de recevoir un vaccin contre la candidose, parlez-en sérieusement à votre médecin. Demandez-lui quels sont les effets secondaires possibles (il y en a toujours) et quels sont les chances d'efficacité?

Une maladie ou une mode?

Il semble que le candida soit une «maladie» à la mode. Qu'en est-il vraiment?

L'épidémie du candida est réelle, mais pourquoi n'en parlons-nous que maintenant?

Il y a quelques années, l'«establishment» niait l'existence de l'hypoglycémie et de la brûlure interne (*burn-out*); pourtant elles sont réelles.

On ne conteste plus la réalité de l'hypoglycémie. Le syndrome prémenstruel (SPM/PMS) est encore considéré par plusieurs comme un problème essentiellement psychologique: pourtant la majorité des praticiens de la santé reconnaissent qu'il tient sa source, non pas dans la tête, mais bien dans le corps. Ce ne sont pas de nouvelles maladies; ce qui est nouveau, c'est qu'on a pu les identifier avec précision et cataloguer leurs symptômes.

Le candida est dans la situation où se trouvait l'hypoglycémie il y a quelques années. Il est vrai que cette épidémie est plutôt récente. La raison en est simple: les éléments qui créent un environnement idéal pour la prolifération du candida sont récents. La pilule contraceptive, les antibiotiques et les corticostéroïdes sont tous des découvertes récentes. Notre alimentation n'a fait qu'empirer depuis le début du siècle, surtout depuis les vingt-cinq dernières années. L'humain moderne industrialisé est sûrement l'être le plus stressé et refoulé qui ait jamais existé. Jamais n'avons-nous été confrontés à autant de polluants : pollution par le bruit, par les images, pollution de l'air et des moeurs. Jamais n'avons-nous été aussi faibles et malades. Nous sommes en crise. Physiquement, cette crise se manifeste par de nouvelles maladies. Le candida n'est que la plus récente d'une longue liste.

Certains individus ou compagnies vont tenter de tirer profit de la situation. Il faut donc être vigilants. Sachez choisir un praticien en qui vous ayez confiance, informez-vous sur le sujet, suivez les principes généraux de ce livre. Le candida n'est qu'un symptôme, celui de notre société qui ignore ou méprise les facteurs naturels qui conduisent à la santé. Si nous continuons à enfreindre les lois de la santé (physique, psychique et morale), il y aura d'autres épidémies, plus graves que le candida ou que le SIDA ! Pensons-y bien.

1. Le cas de Denise

En août 1986, j'ai reçu à mon bureau de la Fondation Denise, 50 ans. Denise avait le syndrome de la levure, dit candida albicans. En avril 1987, Denise me remit son témoignage pour la période allant de septembre 1986 à avril 1987. Le voici :

À tous ceux qui souffrent de n'être jamais compris dans leurs douleurs physiques et psychologiques.
   Depuis l'âge de 16 ans, douleurs menstruelles très pénibles. À 18 ans très grosse allergie à la pénicilline (urticaire géant). Maux d'oreilles inexplicables, constipation et difficulté de digestion. Une seule grossesse. À 39 ans, hystérectomie, découverte d'endométriose très répandue. À 42 ans, allergie à un autre antibiotique. Haute tension (nerveuse) très irrégulière. Début de «chaleurs»…
   Ce qui suit va de juillet 1981 à juillet 1986.
   Maintenant installés à la campagne, nous changeons notre alimentation. Pain de blé entier, lentilles, fèves de Lima… J'ajoute de la levure Torula aux aliments parce que c'est bon pour la santé, des tonnes de fruits, beaucoup de légumes, quantité de fromages et

de yogourts, peu de viande. Beaucoup d'oeufs et de produits laitiers. Les fraises, framboises et pommes sont cultivées ici par nous; on fait beaucoup de confitures.

Donc par ordre de phénomènes, le plus fidèlement possible:
— allergies jamais connues auparavant;
— fatigue, nervosité s'installent lentement;
— maux d'estomac;
— constipation plus fréquente;
— irritabilité;
— préménopause (vérifiée médicalement);
— peurs nouvelles, inquiétudes;
— difficulté à me concentrer longtemps;
— angoisses;
— chaleurs et malaises au début du repas;
— je pleure pour un rien;
— troubles de la hanche ;
— difficultés de digestion;
— sentiment négatif envers la vie en général;
— examens à l'estomac sans résultat;
— petit à petit, diminution de l'appétit sexuel;
— le matin, le lever est dur, angoisses avec maux de tête, liées à une mauvaise digestion;
— j'engraisse pour un rien;
— je fais des recherches au niveau médical sans succès;
— je fais des recherches au niveau psychologique sans succès;
— constipation;
— je fais des efforts de détente sans résultat valable;
— les pertes de mémoire sont de plus en plus fréquentes;
— **personne ne semble pouvoir expliquer ou com-**

prendre ma souffrance... d'être mal dans mon corps et dans ma tête;
— mauvaise respiration;
— pensées négatives, sentiment de n'être rien, de n'offrir que des ennuis à mon compagnon, de ne pouvoir le rendre heureux;
— **quelle est l'issue?**
— sentiment que la mort serait la délivrance à tout ce qui se passe en moi;
— je mange de plus en plus, je suis devenue gourmande;
— **les mois, les années passent. Je demande à mon mari: «Place-moi dans une grosse maison grise»;**
— ma vue diminue, je change de lunettes trois fois en deux ans;
— perte de l'appétit sexuel;
— je prends de plus en plus de poids;
— je me sens sénile, vieille comme une personne de 80 ans et plus;
— troubles très aigus à la hanche pendant deux mois;
— troubles de digestion à répétition;
— **il me faut une forte dose de courage pour commencer la journée;**
— je fais une petite dépression;
— **je ne vois pas d'issue;**
— **il va m'arriver quelque chose, c'est sûr... quoi?**
— quelques étourdissements, et une fois perte de conscience au moment où je commence à manger.

Il y a eu quand même de bonnes journées... des hauts et des bas.

Miracle... Je rencontre à Banff Kate Kiss, kynesthésiste, nutritionniste chevronnée qui diagnostique ma maladie résultant du «candida albicans». Une médication pour me désintoxiquer, une diète très sévère, des suppléments alimentaires et voilà que je reprends vie…

Heureuse de découvrir que tous ces maux ne sont pas seulement dans ma tête, qu'ils sont physiques et surtout qu'ils peuvent être soignés. Enfin, une personne qui comprend mes malaises!

Courage vous qui souffrez! Ça peut prendre du temps mais il y a toujours une réponse à notre désir de VIVRE.

Résultats (après quatre semaines)
— nette amélioration au point de vue nerveux;
— plus d'angoisse le matin (sauf rares exceptions);
— nette amélioration au niveau de l'estomac;
— l'intestin fonctionne bien;
— perte de 13 livres (retour à mon poids normal);
— disparition du mal à la hanche;
— j'ai le goût de rire et de faire des blagues.

Certaines difficultés à vivre:
— frustration de ne pouvoir manger toutes ces bonnes choses que Dame Nature donne (comme les fruits);
— des envies de manger du bon pain;
— accepter de ne pas manger un tas de choses agréables au goût.

Courage… J'ai foi que dans 6 ou 8 mois j'aurai trouvé une nouvelle vie.

(de septembre 1986 à avril 1987)
— les premières semaines, j'ai maigri de 4 livres;
— merveilleux! Les douleurs aux jointures ont vraiment disparu   ;

- j'ai les idées plus claires;
- tous les jours, je fais des progrès;
- le grand air, la compréhension et le soutien de mon mari, de mes proches m'aident beaucoup dans ma démarche;
- mon compagnon de vie m'aide beaucoup par son accueil, sa patience et l'espoir qui l'habite;
- c'est la guérison lente de mon coeur, de mon corps;
- c'est difficile de mettre fin à des coutumes de vie très ancrées;
- chaque succès me renforce à l'intérieur comme à l'extérieur;
- la méditation m'aide beaucoup.

Des amis, des guides compréhensifs au niveau de l'écoute, des massages, de la nutrition, de la médication naturelle, voilà autant de cadeaux de Dieu... Je vis.

L'histoire de Denise n'est pas unique. Près de 60 % des femmes souffrent à différents niveaux du candida. Il y aurait aussi 20 % d'hommes atteints.

2. Souffrez-vous de l'autre maladie du XXe siècle?

Êtes-vous toujours fatigué? Souffrez-vous de flatulences (gaz) ou de ballonnements intestinaux? Avez-vous des rages de sucre, de pain, de bière ou autres boissons alcoolisées? Souffrez-vous de constipation, de diarrhée ou d'une alternance des deux? Avez-vous des changements d'humeur fréquents? Êtes-vous déprimé, irritable, anxieux, nerveux, vous fâchez-vous facilement? Avez-vous de la difficulté à vous concentrer? Êtes-vous souvent étourdi, vos muscles sont-ils douloureux même après des activités normales? Avez-vous pris du poids soudainement sans changement de diète? Avez-vous des démangeaisons ou des brûlements à l'anus ou au vagin; des problèmes de prostate ou une diminution du désir sexuel? Avez-vous déjà pris des antibiotiques (même une seule fois)? Avez-vous déjà pris ou prenez-vous présentement la «pilule»? Avez-vous pris de la cortisone ou autres stéroïdes?

Si vous avez un ou plusieurs des symptômes énumérés ci-haut et qu'un examen médical ne peut en déterminer la cause, il est possible que votre problème soit relié à un développement anormal de levure dans votre organisme. Peut-être souffrez-vous de l'autre maladie du XXe siècle?

Pourquoi un livre sur le Candida?

Selon les experts, environ 30 % de la population du globe est atteinte à différents degrés de candidose.[1] Ces mêmes experts estiment que près de 60 % des femmes sont affectées d'une façon ou d'une autre par ce syndrome de la levure. Une grande partie des gens qui développent des allergies sont prédisposés au Candida.[11]

Selon le docteur Shirley Lorenzani: «En ce siècle, le candida est en pleine gloire. Il croît sur la pollution interne causée par la consommation excessive de sucre, d'antibiotiques, de contraceptifs oraux et de drogues qui déséquilibrent le système immunitaire.»[2]

La levure, ce champignon microscopique unicellulaire, n'est pas responsable du dommage qu'il cause. L'usage que l'homme fait de sa liberté en est l'origine. Le champignon ne fait que profiter d'une situation idéale, situation dont il n'est ni le créateur, ni le précipitateur. C'est l'être humain qui crée le milieu ambiant idéal à sa prolifération.

D'une certaine façon le candida est un état d'alerte, nous avertissant que notre mode de vie met en danger l'homéostase de l'organisme.

Parce que cette affection est de plus en plus répandue, il faut non seulement savoir comment la reconnaître et la traiter, mais surtout comment la prévenir. Car trop de femmes, d'hommes et même d'enfants sont aux prises avec ce syndrome.

Voilà pourquoi il m'a semblé nécessaire d'écrire ce livre, d'ailleurs le premier en français traitant ce sujet.

3. Les levures

La levure est un produit qu'on incorpore à la pâte pour qu'elle lève. On l'utilise pour faire la bière. C'est aussi un supplément alimentaire : levure kefir, levure torula, levure engevita ou levure de bière. Alors que viennent faire les levures dans un livre qui traite de maladie?

Précisons d'abord que la levure alimentaire **ne cause pas** la candidose. Il ne faut donc pas craindre d'en prendre comme supplément ou de l'utiliser en boulangerie.

La levure alimentaire ou levure désactivée (levure de bière, torula, kefir, engevita, etc.) est inoffensive chez ceux qui peuvent la tolérer. C'est une excellente source de protéines et de vitamines du complexe B.

Les gens sujets aux allergies doivent cependant faire attention à la levure sous toutes ses formes car elle peut provoquer des réactions.[10]

Les levures sont des micro-organismes unicellulaires qui vivent presque partout sur la planète. Bien qu'appartenant au règne végétal, certains croient utile de faire une distinction et font mention d'un «troisième règne» englobant champignons, levures et moisissures.[2]

Les levures peuvent dans des conditions idéales se multiplier de façon phénoménale. Selon le docteur Roger Williams, une seule cellule de levure dans un environnement propice peut en vingt-quatre heures produire plus de cent autres cellules.[4]

Quelques faits intéressants

Les levures vivent partout : sur les plantes, dans le sol, dans l'eau douce et l'eau de mer. Elles vivent sur la surface ainsi qu'à l'intérieur des insectes et animaux à sang chaud (dont l'homme).

Dans la mer on peut les trouver jusqu'à 10,000 pieds de profondeur.

Il existe plus de 500 espèces distinctes de levures.

Certains experts estiment que les champignons (dont les levures) existent depuis plus de 1500 millions d'années.[2]

Utilisation des levures

Les produits boulangés : l'oxyde de carbone produit par les levures fait lever la pâte.

Les bulles de la bière et du champagne sont formées par l'oxyde de carbone.

Alcool : elles servent à la formation d'éthanol dans toutes les boissons alcoolisées (bière, vin, whisky, gin, rhum, etc.).

Les levures produisent des fermentations et des acides tel l'acide citrique. Ces substances donnent des saveurs particulières aux mets boulangés et aux alcools.

Conservation : la formation d'alcool et d'oxyde de carbone est utile pour préserver les aliments transformés par la levure.

Les levures dans notre organisme

On trouve des levures presque partout dans notre organisme. Tant qu'elles sont en petit nombre, elles ne causent pas de problème . On les retrouve dans la bouche, les intestins, les organes génitaux, sur la peau et dans l'oreille externe. Leur rôle est d'aider le corps en accélérant le processus de décomposition des matières organiques mortes ; elles recyclent les débris produits par l'organisme ; elles s'alimentent des protéines, glucides et lipides qui se trouvent dans les déchets du corps.

Les levures sont très prolifiques. Certaines bactéries veillent toutefois à ce qu'elles ne prolifèrent pas trop et ne perturbent pas l'homéostase de l'organisme.

La levure candida albicans

Le candida albicans est une levure que l'on retrouve dans le corps humain. On l'a aussi nommée «Oidium Albicans», «Saccaromyces Albicans» et «Monilia Albicans». C'est la forme de levure la plus répandue dans l'organisme humain. Elle se trouve surtout dans l'appareil gastro-intestinal : de la bouche au rectum. Elle habite aussi l'appareil urinaire et la région génitale. Le milieu vaginal est un des endroits préférés de ce micro-organisme.

Les bébés, à la naissance, rencontrent cette levure lors de leur passage dans le vagin. Le système immunitaire de l'enfant, si celui-ci est en santé, peut aisément empêcher la prolifération excessive du champignon. À l'âge de six mois, 90 % des bébés ont une réaction positive lors d'examens visant à vérifier la présence de candida albicans sur la peau.[2]

Plusieurs femmes ont régulièrement des vaginites causées par cette levure. Ce champignon apprécie particulièrement le milieu sombre, humide et chaud de l'appareil génital féminin. Cette affection vaginale a été décrite pour la première fois en 1849 par Wilkinson; elle n'est donc pas récente.

Le candida albicans peut passer de la forme unicellulaire à la forme mycélienne. Sous forme mycélienne il peut s'enraciner dans la muqueuse intestinale et causer ainsi de graves problèmes. C'est sous cette forme que ce micro-organisme devient dangereux.

La présence de candida albicans dans le corps est normale. Ce qui n'est pas normal, c'est l'implantation trop abondante de ce champignon en différentes parties de l'organisme.

4. Les bactéries lactiques

Les bactéries lactiques sont des micro-organismes que l'on retrouve dans notre corps. Elles forment une flore microbienne normale et permanente qui se développe sur la plupart des muqueuses.[12] Elles croissent dans notre gorge, nos intestins, dans notre peau et dans le vagin. Contrairement aux levures, les bactéries lactiques ont un rôle essentiel dans le maintien de la santé.

Quelques faits[13]

Les bactéries lactiques produisent de l'acide lactique. Or les bactéries qui causent la maladie ne se développent pas en milieu acide.

En fleurissant sur la muqueuse intestinale, les bactéries lactiques créent une barrière contre les microbes infectieux.

Les bactéries lactiques produisent également des antibiotiques dont l'acidophiline, le bulgarican, la lactocidine. Ces antibiotiques naturels jouent un rôle important dans la protection du corps contre les microbes pathogènes.

Les bactéries lactiques synthétisent certaines vitamines, dont celles du complexe B : la vitamine B_{12} et l'acide folique.

Les enzymes des bactéries lactiques contribuent à une digestion plus rapide de certains aliments.

Elles produisent des agents hypocholestériques, lesquels diminuent le taux de cholestérol sanguin.

Ce sont les bactéries lactiques qui donnent leurs propriétés thérapeutiques au yaourt et au kefir.

Elles permettent la fermentation des hydrates de carbone (sucres) que les enzymes gastro-intestinaux humains ne peuvent digérer.

Les bactéries lactiques empêchent les levures de se répandre et de mettre ainsi en danger la santé de l'individu.

Quelques bactéries lactiques

Lactobacillus Acidophilus : Produit les antibiotiques naturels, acidophilin, lactocidin et acidolin. Il empêche le développement de la levure candida albicans. Il accroît l'absorption du calcium. Ce micro-organisme aide à la production d'enzymes telles la protéase et la lipase, en plus de réduire la possibilité d'infections des voies urinaires et vaginales. L'acidophilus est un résident de la flore intestinale où il aide à maintenir le taux d'acidité normal.

Lactobacillus Bifidus : Isolé à partir des selles de nourrissons. On le retrouve dans le conduit alimentaire des enfants et des adultes. Cette bactérie est introduite dans l'intestin de l'enfant par l'allaitement. Tout comme l'Acidophilus, le Bifidus aide à la digestion et à la synthèse de vitamines du complexe B. La présence de cette bactérie réduit le pH du côlon, ce qui empêche le développement de micro-organismes indésirables qui requièrent un pH neutre.

Streptococcus Faecium : Il a une résistance élevée à plusieurs antibiotiques. Il est très résistant aux sels biliaires. Il aide à réduire la diarrhée. Cette bactérie inhibe la prolifération de microbes producteurs de toxines.

Lactobacillus Bulgaricus : Est utilisé pour la culture du yaourt. Cette bactérie joue un rôle important dans la production d'antibiotiques naturels.

Comme on peut le voir, les bactéries lactiques ont un rôle indispensable dans le maintien de la santé chez l'homme. Elles favorisent l'assimilation de certains nutriments, veillent à ce que le milieu intestinal demeure libre de bactéries pathogènes et synthétisent certains éléments nutritifs essentiels. De plus, ces micro-organismes empêchent le candida albicans, ainsi que les autres levures, de se développer et de perturber l'équilibre de l'organisme.

5. Le système immunitaire

Le système immunitaire protège le corps contre les maladies infectieuses, les substances étrangères, les polluants chimiques et les drogues. Il nous protège même contre nos propres cellules lorsque celles-ci deviennent malignes. Les lymphocytes circulent dans les systèmes lymphatique et sanguin. Elles nous protègent contre différentes substances pathogènes.

Il y a deux sortes de lymphocytes : les lymphocytes-T et les lymphocytes-B. Les deux proviennent de la moelle osseuse. Les lymphocytes-T sont actives dans le thymus (d'où la lettre T). Les lymphocytes-B ne passent pas dans le thymus.

Les lymphocytes-T reconnaissent les cellules étrangères par leurs membranes. Reconnu, l'étranger est attaqué par la cellule-T qui le phagocyte (elle l'absorbe et sécrète un produit chimique qui le tue). La phagocytose est efficace si les cellules-T sont saines, si le corps est en santé. «Votre alimentation et votre santé générale peuvent directement affecter l'état de vos lymphocytes-T et, par conséquent, activer ou inhiber les défenses de votre corps.»[14]

Puis les lymphocytes-B entrent en jeu. Ils produisent des anticorps qui s'attachent alors aux antigènes pour former ce qu'on appelle le «complexe antigène/anticorps». Ces cellules-B seraient comparables à des lance-missiles et les anticorps aux missiles.

Les lymphocytes T, B, NK et les macrophages ne constituent qu'une partie du système immunitaire. Les bactéries lactiques jouent aussi un rôle dans l'immunité; elles produisent des antibiotiques naturels et de l'acide lactique. Les membranes muqueuses du système respiratoire et gastro-intestinal forment une barrière contre les substances qui essaient d'envahir ou de pénétrer le corps. La peau fait aussi partie de notre système immunitaire en protégeant l'organisme contre les attaques extérieures.

Immunité et nutrition

L'immunité du corps dépend de plusieurs facteurs, dont l'un des plus importants est l'alimentation. Ainsi une augmentation accrue de vitamine C aide à augmenter la production d'anticorps.[15] Une déficience en vitamine B_6 réduit la capacité d'action des cellules du type B et T.[14] Une trop grande consommation de sucre réduit la capacité de phagocytose des leucocytes.[16]

6. Le problème : candida albicans

La levure de type candida albicans est un résident normal de notre corps, tant que l'homéostasie s'assure que ce micro-organisme ne cause pas d'ennuis. Le problème survient lorsque pour quelque raison, l'équilibre organique est perturbé. Cette levure se développe alors, causant différents problèmes.

Lorsque l'homéostasie est perturbée et le système immunitaire affaibli, le candida peut proliférer de façon considérable et causer ainsi des problèmes affectant les différents systèmes de l'organisme, ces derniers étant interdépendants. La levure peut ainsi se déplacer d'une partie du corps à une autre : des colonies peuvent se développer dans la bouche, le vagin ou ailleurs.

Le candida peut se fixer sur les valves du coeur, sur les artères et les tissus cérébraux aussi bien qu'entre les orteils. Son champ d'action n'est pas limité à un endroit puisqu'il peut produire des toxines (poisons) qui s'infiltrent dans le sang et ainsi se répandre partout dans l'organisme.

De plus, sous la forme mycélienne, ce micro-organisme est présent dans presque toutes les affections pulmonaires. Une forme de bronchite est reliée au candida; elle cause la toux, les excrétions et les râlements.

Le système urinaire peut abriter le candida qui y cause alors différentes infections. L'urètre affectée par le candida peut s'irriter, causant un besoin fréquent d'uriner et des brûlements.

Le cerveau peut être affecté par le candida, causant des pertes de mémoire, des changements d'humeur et des difficultés de concentration. L'individu devient dépressif, frustré et anxieux.

Les cinq sens sont affectés. Le goût peut changer, voire même parfois disparaître temporairement. La vision peut être embrouillée. On peut avoir une diminution ou une perte totale de l'ouïe.

Le candida peut produire de l'irritation intestinale et causer la constipation ou la diarrhée, également des crampes ou des ballonnements intestinaux. Des démangeaisons rectales peuvent survenir.

Beaucoup de problèmes digestifs résultent d'un accroissement anormal du taux de levures. Les brûlements à l'estomac sont parfois causés par des colonies de levures implantées dans l'oesophage.

Le candida provoque beaucoup de problèmes biochimiques. Il peut perturber le fonctionnement du système hormonal et entraîner des irrégularités menstruelles, des changements de poids, la rétention d'eau, la diminution ou la perte de l'appétit sexuel.

Tous les symptômes allergiques classiques peuvent se manifester à cause du candida. Selon certains experts, les toxines produites par le champignon empoisonnent l'organisme, accablent ses défenses naturelles et préparent un milieu idéal pour les réactions allergiques. Il pourrait également y avoir une relation entre l'hypothyroidisme, l'hypoglycémie et le candida.

7. La cause du candida albicans

Le candida n'est pas une maladie. Le candida albicans ne fait que profiter d'une situation, d'une perturbation de l'équilibre organique pour y prendre racine.

Il est essentiel de comprendre que ce qui est à l'origine de cette perturbation est le seul responsable du problème. Ce responsable, c'est l'homme ou plutôt l'utilisation que l'homme fait de sa liberté.

La liberté de l'homme est régie entre autres par les lois physiologiques. Il ne peut enfreindre ces lois sans en subir les conséquences. Il faut boire, se nourrir et respirer. Une alimentation saine doit inclure protéines, glucides (sucres) et lipides (gras). Les protéines sont les matières qui entrent dans la constitution de l'organisme ; ce sont les éléments dits «plastiques» (elles servent à produire de l'énergie). Les glucides et les lipides servent à donner de l'énergie, ce sont les éléments «énergétiques» (certains lipides servent aussi d'éléments plastiques). Les minéraux servent d'éléments plastiques (le calcium, par exemple, dans les os et les dents) et de substances régulatrices (éléments catalyseurs) qui sont indispensables au métabolisme et au bon fonctionnement organique. Les vitamines sont également des substances régulatrices importantes. On ne peut se passer de ces éléments nutritifs essentiels. Une carence de l'un de ces éléments entraîne un déséquilibre de l'organisme qui devient maladie.

Non seulement faut-il se nourrir d'éléments essentiels tels les protéines, vitamines, etc., il faut aussi éviter d'introduire dans le corps des éléments qui ne lui servent pas, des produits intoxicants. Car ce que l'organisme n'utilise pas doit être éliminé. Or l'élimination exige beaucoup d'énergie, qui ne peut être utilisée pour d'autres fonctions.

Le déséquilibre de l'homéostasie, l'affaiblissement du système immunitaire et la destruction de la flore intestinale sont dus principalement au manque d'éléments nutritifs et à l'intoxication. Différents facteurs peuvent en être responsables:
— les aliments dégénérés;
— les drogues.

8. Les aliments dégénérés

Le sucre

Le **sucre** sous toutes ses formes doit être consommé avec modération. Il faut savoir qu'une ingestion trop grande de sucre affaiblit la phagocytose des leucocytes, réduisant ainsi le potentiel immunitaire. Les individus souffrant de candidose ont pour la majorité été (s'ils ne le sont pas encore) de grands consommateurs de sucre. De plus, dans notre société industrialisée le sucre blanc est celui que nous consommons le plus.

Le sucre raffiné (blanc) a un grave défaut : il ne contient plus les nutriments nécessaires à son propre métabolisme. Pour digérer le sucre et l'utiliser, le corps doit donc puiser dans ses réserves de vitamines B[17], et de chromium.[19]

Il n'est pas nécessaire d'ajouter du sucre aux aliments afin d'en inclure dans une diète.

Voici quelques exemples des quantités de sucre que nous consommons sans le savoir :

MATIN

Un verre de 6 onces de jus TANG: 4.5 c. à thé de sucre

Un bol de céréales (4 onces) Apple Jacks: 6 c. à thé de sucre

Deux rôties avec confiture (3 c. à table): 4 c. à thé de sucre

Un verre de chocolat au lait (8 onces): 6 c. à thé de sucre

TOTAL (sans avoir ajouté de sucre!): 22.5 c. à thé de sucre

MIDI

Une salade avec 2 c. à soupe de vinaigrette French: 1.5 c. à thé de sucre

Un petit pain à salade: 4 c. à thé de sucre

Un morceau de tarte aux pommes (1/6 d'une tarte moyenne) avec 2 boules de crème glacée: 18 c. à thé de sucre

Un verre de Seven-Up (12 onces): 9 c. à thé de sucre

TOTAL (toujours sans avoir ajouté de sucre!): 32.5 c. à thé de sucre

SOIR

Petits pois en conserve (1/2 tasse): 1 c. à thé de sucre

Une tasse de yaourt aux fruits: 7.5 c. à thé de sucre

Un verre de cola (12 onces): 9 c. à thé de sucre

TOTAL (sans avoir ajouté de sucre!): 17.5 c. à thé de sucre

LES COLLATIONS

Deux biscuits aux brisures de chocolat: 5 c. à thé de sucre

Un beigne glacé: 6 c. à thé de sucre

Quatre chewing-gums: 2 c. à thé de sucre
TOTAL (sans avoir ajouté de sucre!): 13 c. à thé de sucre

Durant cette journée, un individu (sans avoir ajouté volontairement de sucre) a consommé 85.5 c. à thé de sucre!

Or selon les experts, on devrait en consommer un maximum de 30 c. à thé durant une journée![18]

Pensez-y bien!

Quelle quantité de sucre consommez-vous? Et vos enfants?

Les chiffres de ce tableau viennent de: *The Nutrition Desk Reference*, Keats Publ.[18]

Un niveau élevé de sucre dans la diète semble accroître le nombre d'infections vaginales dues aux levures; de plus le sucre favorise le développement de champignons du type candida.[1]

Le sucre, base de notre alimentation est un aliment causant des déséquilibres nutritifs. Or ce déséquilibre prédispose à l'infection des levures: la candidose.

9. L'alimentation moderne

L'alimentation moderne est «constituée aux deux-tiers d'aliments traités et dénaturés».[17] Elle devrait plutôt être constituée de fruits, de légumes, de céréales (blé, orge, seigle, etc.), de noix et de graines qui n'ont pas été traités. En effet, afin d'assurer la conservation de nos aliments on leur enlève différents éléments nutritifs. Pour illustrer le problème, prenons l'exemple de la **farine blanchie**.

On enlève le germe et la coque du blé afin de blanchir la farine. Sans ces deux éléments la farine se conserve mieux. Le germe et la coque «sont riches en minéraux, en oligo-éléments indispensables à la vie… en ferments et en vitamines B.»[20]

On ne conserve que le centre du blé qui contient seulement de l'amidon. «L'homme ne garde pour lui que la portion du grain riche en amidon et de ce fait perd environ 70 % des substances les plus précieuses contenues dans les céréales.»[20] La farine se conserve mieux, mais elle ne contient que 30 % des éléments nutritifs naturels. «Notre farine blanchie, tout comme le sucre blanc, est un aliment fait de calories vides.»[20]

Afin de compenser ce vide nutritif, certaines compagnies ajoutent des vitamines aux produits alimentaires. On retrouve donc du pain ou de la farine blanchie «enrichis». Or ajouter au pain quelques vitamines synthétiques ne change pas le problème. Même si la farine blanchie et enrichie contient de la thiamine, de la riboflavine, de la niacine, ainsi que du calcium et du fer, elle a perdu toute trace d'acide pantothénique (vitamine B_5), de pyridoxine (B_6), d'acide folique, de vitamine E, de magnésium, de zinc, de cuivre et de manganèse. L'acide pantothénique est essentiel au métabolisme de l'énergie. La pyridoxine est vitale au bon fonctionnement d'enzymes nécessaires au métabolisme des graisses, sucres et protéines. L'acide folique est indispensable à la formation des globules rouges. Le pain enrichi ne l'est que partiellement, il ne peut se comparer avec le pain de blé entier. Ce serait la même chose que d'acheter une auto sans transmission, sans roues, sans réservoir à essence, sans sièges, sans carburateur, puis d'y ajouter un siège, un carburateur et un réservoir. Il y manquerait encore les roues et la transmission sans lesquelles on n'irait pas très loin.

Il est malheureux que la majorité des aliments soient raffinés ou traités chimiquement. La conservation ne nécessite pas cette prostitution alimentaire ; nous avons tous des réfrigérateurs et des congélateurs conçus à cette fin, sans parler d'autres méthodes de conservation qui ne nécessitent pas le raffinage ou l'ajout d'un produit chimique.

En plus de retirer aux aliments leurs éléments nutritifs, on leur ajoute maints produits chimiques tels les colorants, les agents de conservation, les saveurs artificielles.

Cette alimentation préparée, chimifiée et raffinée dérobe les éléments nutritifs dont notre système immunitaire a besoin pour bien fonctionner. La diète du XXe siècle encourage la prolifération du candida albicans en affaiblissant le système immunitaire et en nourrissant la levure présente dans l'organisme.

Tous ne sont pas affectés de la même façon par le déséquilibre diététique. Certains individus pourvus d'une plus grande vitalité, plus robustes que la moyenne, peuvent bien s'en tirer avec ce genre d'alimentation. Par contre, dans ce siècle où le candida fait des ravages, il y a en plus du déséquilibre alimentaire d'autres facteurs qui viennent s'ajouter, pouvant perturber l'homéostasie organique. Un prochain ouvrage traitera systématiquement d'alimentation.

La diète moderne est une des causes du déséquilibre organique qui prédispose à la candidose.

10. Les drogues

Les antibiotiques

Les **antibiotiques** détruisent la flore intestinale[21] permettant ainsi au candida de proliférer. Selon certaines études, les antibiotiques bloquent l'action des lymphocytes (les agents de notre système immunitaire) dans leur combat contre le candida albicans. De plus, ils n'ont aucun effet sur ce micro-organisme.[1]

Selon des microbiologistes du *Divisions of Infectious Diseases, Dermatology, and Laboratory Medicine* à la *Washington University School of Medicine* : «Des antibiotiques utilisés pour traiter les infections de levures peuvent accroître le taux du candida albicans».

Ces antibiotiques (*polyene antibiotics*) stimulent l'accroissement du nombre des colonies de candida.[1] Il faut donc se poser de sérieuses questions quant à leur utilisation thérapeutique.

Les antibiotiques tuent toutes les bactéries, y compris les bonnes. Utiliser des antibiotiques, c'est comme essayer de tuer trois criminels dans une foule en fusillant toute la foule. C'est un non-sens.

Ils ne sont pas toujours nuisibles. Il existe toutefois des alternatives qui n'ont pas d'effets indésirables. Il est impossible de traiter ce sujet dans cet ouvrage. C'est au spécialiste de la santé de décider si un antibiotique est nécessaire ou non. Selon les experts, certains antibiotiques ne font pas que détruire la flore microbienne normale ; ils nourrissent le candida.[2]

Les **antibiotiques** à spectre large (Keflex, Ceclor, ampicillin, amoxicillin, Septra, Bactrim et les autres) et ceux utilisés dans le traitement de l'acné (Tetracycline) détruisent aussi la flore intestinale, **prédisposant ainsi au candida**.

Les contraceptifs oraux

La pilule contraceptive contient des oestrogènes et de la progestérone. La progestérone semble stimuler le candida. Qui plus est, la progestérone altère les muqueuses de la bouche, de la gorge, du vagin et des poumons dans lesquels la levure est présente. Il semble de plus que les levures du type candida soient des récepteurs d'oestrogène ; lorsqu'il y a une augmentation du taux de cette hormone dans le corps, le développement des colonies de candida est stimulé. Les contraceptifs oraux dérobent certaines vitamines, dont la vitamine B_6 et l'acide folique.[21]

Beaucoup de femmes souffrant de vaginites à répétition les ont vu disparaître lorsqu'elles ont cessé de prendre ces contraceptifs oraux. **La pilule contraceptive est donc l'un des constituants de cette maladie**.

Les corticostéroïdes

Les corticostéroïdes peuvent aussi stimuler le développement des colonies de levures dans l'organisme humain. C'est surtout le cas des glucocorticoïdes, dont la cortisone. Tout comme les oestrogènes, la cortisone stimule et excite les récepteurs de la levure.

La cortisone et la prednisone réduisent également l'efficacité du système immunitaire permettant ainsi la prolifération des levures.

Les intoxicants

Tout produit qui intoxique l'organisme prédispose au candida. Toute intoxication empoisonne le système, forçant ce dernier à réagir pour éliminer le poison. Or plus nous absorbons de substances toxiques, plus l'intoxication est grande, plus l'organisme doit travailler afin de les éliminer. Ce travail supplémentaire réduit l'énergie vitale et affaiblit.

Tous les polluants chimiques (pesticides, herbicides, fertilisants, conservateurs, métaux lourds, etc.) réduisent la capacité de notre système immunitaire, laissant le champ libre à toutes sortes d'infections dont le candida.

Tout ce qui déséquilibre l'homéostasie de l'organisme : habitudes alimentaires malsaines, manque d'exercice, consommation de polluants et de drogues, stress physique et psychologique, affaiblit inévitablement le système immunitaire et prédispose à l'infection de champignons de levure du type candida albicans.

11. Comment déterminer si votre problème est relié au candida

Il est important de noter que le diagnostic est réservé aux seuls professionnels de la santé. Ce chapitre peut vous aider à déterminer s'il faut suggérer à votre spécialiste de la santé la présence du candida.

Quoi qu'en disent certains «experts», il n'est pas recommandé de se traiter soi-même si l'on croit être infecté par le candida albicans.

Certaines maladies telles l'hypoglycémie et l'hypothyroidisme ont des symptômes similaires à ceux présentés chez un individu souffrant de candidose. Seul le praticien de la santé peut déterminer si le problème est relié à l'une ou l'autre de ces affections.

Il existe différents questionnaires qui peuvent vous éclairer sur ce sujet. Voici une adaptation recommandée par la Fondation de Recherche et d'Information sur le Candida (Québec).

Test

(encercler O pour «oui» et N pour «non»)

1. Avez-vous pris des antibiotiques à
spectre étendu pour des infections respi-
ratoires, urinaires ou autres infections
durant une période de 2 mois ou plus,
ou durant moins de 2 mois mais 4 fois
ou plus dans une année?   O   N
2. Avez-vous déjà pris la «pilule»?   O   N
3. Avez-vous pris la «pilule» durant deux
ans ou plus?   O   N
4. Avez-vous pris de la prednisone, du
Decadron ou d'autres drogues de type
cortisone?   O   N
5. Si oui (no 4), en avez-vous pris pendant plus de 2 semaines?   O   N
6. Avez-vous des rages de sucre?   O   N
(inscrire 10 points pour chaque réponse «oui»)
Total de Points   (   )

Les Symptômes

Points
1. Mauvaise mémoire   24
2. Incapacité de se concentrer   24
3. Somnolence   24
4. Fatigue ou léthargie   120
5. Sensation d'épuisement   24
6. Irritabilité ou agitation   24
7. Changements d'humeur fréquents   60

8. Sentiment d'être «perdu», d'être dans
   une «autre dimension»   250
9. État dépressif   60
10. Faible coordination   120
11. Étourdissement ou perte d'équilibre   60
12. Maux de tête   60
13. Pression au-dessus des oreilles, sensation
    que la tête enfle   24
14. Douleurs musculaires   24
15. Faiblesse musculaire   60
16. Douleurs ou enflures aux jointures   60
17. Dessèchement de la bouche   24
18. Congestion nasale ou décharge nasale   60
19. Douleur ou serrement à la poitrine   60
20. Respiration sifflante (asthmatique)
    ou souffle court   60
21. Prenez-vous du poids facilement   24
22. Ballonnements ou gonflements   24
23. Réactions allergiques aux aliments
    (éruptions cutanées, problèmes d'estomac)   120
24. Éruptions cutanées   60
25. Faites-vous des ecchymoses (bleus)
    facilement   60
26. Décharges vaginales abondantes (F)   120
27. Plaies ou irritation sur le pénis
    ou sur le prépuce (H)   120
28. Brûlements ou irritations vaginales (F)   120
29. Brûlements ou irritation du pénis,
    du scrotum ou de l'aine (H)   120
30. Difficulté à devenir enceinte (F)   24
31. Impuissance, difficulté à maintenir
    une érection (H)   24
32. Baisse ou perte de l'appétit sexuel   60

33. Dysménorrhée (menstruations douloureuses) (F)   24

34. Écoulement ou décharge urétrale (H)   24

35. Fréquence et/ou urgence urinaire   24

36. Maux de dos fréquents   24

Total   (   )

Total Test   (   )

Totaliser les points de cette section avec ceux de la section Test. Si vous avez 300 points ou plus, il est possible que la levure cause vos problèmes de santé.

SEROYAL BRANDS Inc. de Concord en Californie a mis au point un système coordonné de diagnostic pour le candida, CandiTrak. Le diagnostic est basé sur une feuille d'évaluation de l'histoire et des symptômes du patient, ainsi que sur un test sanguin. Il reste encore à démontrer la précision des analyses sanguines dans le diagnostic du candida.

L'efficacité du questionnaire CandiTrak et l'expérience du praticien sont néanmoins très utiles dans le processus de diagnostic.

L'efficacité du traitement demeure pour l'instant la seule preuve de la présence de candida chez un patient.

d'avoine, de seigle ou d'orge (il faut parfois tout simplement en réduire la consommation). Le maïs, le riz, les pommes de terre, le sarrasin et le millet peuvent être consommés en petites quantités par la plupart des gens. Toutefois, certaines personnes devront temporairement exclure toute nourriture amidonnée de leur diète.

3. Le lait (même cru) favorise la croissance du candida. Évitez le lait et ses sous-produits à l'exception du beurre.

B) Les levures, les moisissures et les champignons réagissent lorsqu'ils sont absorbés avec la nourriture ou lorsqu 'on en respire de fortes concentrations. Ils déclenchent les symptômes et diminuent la résistance de l'organisme au candida.

Salles de bains et ventilateurs devraient être gardés propres et secs. La consommation de levures, de moisissures et de champignons dans la nourriture devrait être minimisée.

1. La levure est utilisée dans la préparation et dans l'assaisonnement des aliments suivants :
   a) pain commercial, brioche, gâteau, pâtisseries, etc. ;
   b) bière, vin et toutes les boissons alcoolisées ;
   c) la plupart des soupes préparées, croustilles BBQ et les noix rôties à sec ;
   d) le vinaigre et les aliments vinaigrés tels les légumes marinés, la choucroute, la relish, les olives vertes et les vinaigrettes. Le jus de citron et l'huile peuvent être utilisés comme vinaigrette ;

e) la sauce soya, le cidre et la «root beer» naturelle.

2 . La levure est la base de beaucoup de préparations de vitamines et minéraux. Il faut donc choisir des suppléments exempts de levure.

3 . Des moisissures se développent sur la nourriture durant les procédés de séchage, de fumage, de salage et de fermentation.

   a) évitez le bacon car le porc fumé contient des moisissures ;

   b) évitez les marinades, les viandes, poissons, volailles fumés ou séchés incluant les salamis, saucisses, hot-dogs, langues marinées, boeuf salé, pastrami, sardines et autres poissons fumés ayant été séchés ;

   c) les fruits séchés tels les prunes, les raisins, les dattes, les figues, les pelures de citron confites, les cerises confites, les groseilles, les pêches, les pommes et les abricots devraient être éliminés de l'alimentation ;

   d) tous les fromages (incluant le fromage cottage), la crème sure, le lait de beurre et le lait devraient être éliminés ;

   e) le chocolat, le miel, le sirop d'érable et certaines noix (pistaches et arachides) développent des moisissures et ne devraient pas être consommés.

5 . Évitez les jus de citron, raisins et tomates en conserve ou surgelés. Évitez tout aliment en conserve ou congelé contenant de l'acide citrique.

6 . Les champignons sont des parasites, des moisissures, **n'en mangez pas**.

C) La consommation de fruits augmente le taux de sucre dans le sang et aide la croissance de la levure. Les fruits et jus de fruits doivent temporairement être rayés de la diète.

D) Les thés, les infusions et les épices sont des aliments séchés et contiennent des moisissures. Évitez les thés et les épices séchés.

Que reste-t-il à manger?

Protéines : poisson, poulet, boeuf, dinde, fruits de mer, oeufs, gibier, lapin, cuisses de grenouille, faisan, caille, agneau, veau. Autrement dit, la viande pour autant qu'elle soit fraîche et non séchée, fumée, marinée ou salée.

Toutes les légumineuses et les noix, sauf les pistaches et les arachides.

Légumes : tous les légumes sont en principe acceptés. Les légumes contenant de l'amidon tels les pommes de terre, les patates douces doivent être évités dans certains cas.

Est-il possible de manger au restaurant?

Oui! Composez le menu avec précaution. Oubliez le cocktail. Demandez de l'huile et du jus de citron pour la salade. Commandez des protéines préparées sans sauce car celle-ci peut contenir du sucre, des champignons, du blé pour l'épaissir ou autres ingrédients nuisibles. Les mets apprêtés le plus simplement sont de toute évidence un choix sûr. Les légumes à la vapeur sont idéaux. Laissez passer le pain, les biscottes et les desserts.

Il est parfois recommandé de suppléer la diète avec des suppléments de protéine. La protéine ne doit contenir ni sucre ni levure. Attention! Un excès de protéine peut parfois être plus nuisible que bénéfique.

Afin de rééquilibrer l'organisme, il faut suivre une diète saine. Une annexe à la fin du présent ouvrage est consacrée à la diététique saine.

Attention! Le régime doit être adapté à chaque individu selon l'état de son organisme. Beaucoup de facteurs entrent en considération à ce niveau.

Il faut évaluer la capacité du système digestif de chaque individu, prendre en considération les habitudes alimentaires passées et ancestrales.

La diète change aussi en fonction des saisons : l'été, on a besoin de moins d'hydrates de carbone qu'en hiver ; lorsqu'il fait froid, on peut consommer davantage d'hydrates de carbone puisque le corps en utilise plus, etc.

Tout au long du traitement et dans chacune de ses phases, l'individualité biochimique de chaque patient doit être prise en considération. Oublier cela, c'est vouer le traitement à l'échec.

Fortifier la flore intestinale

Se débarrasser du champignon sans fortifier la flore intestinale, c'est éliminer le symptôme sans tenir compte de la cause. Une des causes du développement anormal du micro-organisme de type candida albicans provient de l'affaiblissement ou de la destruction de la flore intestinale. Il faut donc rétablir une flore intestinale saine et assez abondante afin que le champignon ne puisse croître démesurément. Tous les produits n'ont pas la même valeur. Il faut s'assurer d'une bonne concentration et d'une bonne qualité de bactéries. (Voir la section des bactéries lactiques.)

Des spécialistes en la matière ont démontré que trois organismes (trois types de bactéries : L. acidophilus, L. Bifidus, et S. Faecium) sont compatibles et complémentaires dans leur action contre les bactéries pathogènes et les champignons, surtout en ce qui concerne le candida.[29]

Afin de fortifier la flore intestinale, il faut employer un produit qui renferme un nombre élevé de bactéries. Insistons sur le fait qu'elles doivent être vivantes. Il doit être exempt de sucre, de levures, de soja et d'autres allergènes communs.

Produits disponibles au Canada :

Sisu-Dophilus Plus : Il contient le L. Acidophilus, le L. Bifidus, et le S. Faecium ainsi que le Lacto-bacillus Casei. Sisu-Dophilus Plus contient plus de 8 milliards de bactéries vivantes par gramme (4 milliards par capsule), et peut en contenir jusqu'à 10 milliards. La formule est exempte de lait et de produits laitiers ainsi que d'autres allergènes communs. Il est préparé à base de malto-dextrine. Le Sisu-Dophilus Plus est disponible en capsules ainsi qu'en poudre. Il n'a aucun effet secondaire et ne comporte aucune contre-indication.

C'est un produit qui a fait ses preuves; il est fabriqué par SISU Enterprises Ltd. à Vancouver.

Prime-Plex : Ce produit fut le premier sur le marché à contenir les trois bactéries complémentaires. Tout comme le Sisu-Dophilus Plus, il contient les bactéries L. Acidophilus, L. Bifidus et S. Faecium. Il contient un minimum de 10 milliards de bactéries vivantes par gramme. Il est exempt de lait, de produits laitiers et d'autres allergènes communs. Ce produit est fabriqué pour Klaire Laboratories Inc. par le Dr Kem Shahani et est disponible en poudre seulement.

On le trouve aussi sous le nom de *Vital-Plex*. Distribué au Canada par *Purity Life Health Products Ltd.* C'est un des meilleurs produits en son genre disponible sur le marché nord-américain.

Megadophilus et Life Start II : Ces deux produits doivent être utilisés ensemble pour obtenir de meilleurs résultats. Le Megadophilus est de l'acidophilus de la souche DDS-1, considérée par les experts comme la plus féconde dans son activité antibactérienne. L'Acidophilus est cultivé dans un milieu organique, ce qui assure une plus grande pureté. Le Megadophilus est cultivé dans un milieu laitier. Les individus sensibles au lait doivent le prendre en petites quantités et augmenter les doses graduellement (s'il ne se produit aucune réaction) jusqu'à la dose optimale recommandée. Cependant, la souche d'acidophilus DDS-1 peut produire de fortes concentrations de lactase, ce qui peut aider les gens souffrant d'allergies aux produits laitiers. Le *Life Start II* est du *Lactobacillus Bifidus* du genre *Bifidobacterium Bifidum*. C'est le seul produit du type

Bifidus qui contient ce genre précis, les autres contiennent le *Bifidobacterium Infantis*. Selon l'information fournie par la compagnie Natren, le B.Bifidum conviendrait davantage aux adultes que l'autre type (*B.Infantis*), puisque c'est le type de Bifidobacterium spécifique aux adultes.

Pour traiter le candida, la compagnie *Natren* recommande d'utiliser une cuillerée à thé de *Megadophilus* et de *Life Start II* deux ou trois fois par jour. La compagnie *Natren* garantit la puissance de son produit (2 milliards de bactéries vivantes par gramme).

Life Start : Les enfants de moins de sept ans peuvent bénéficier de ce produit lorsque l'on craint la présence anormale de candida dans le système (otites à répétition, colites fréquentes, hyperactivité peuvent être des symptômes). Le produit est constitué de *Lactobacillus Bifidus (Bifidobacterium Infantis)* du type *infantis*. Il s'agit de la bactérie que les enfants ont en majorité jusqu'à l'âge de 5 ou 7 ans. La mère qui allaite peut en prendre afin d'en donner à son nourrisson. On peut en donner aux enfants sans crainte. À l'instar de tous les composés de bactéries lactiques, celui-ci n'a aucun effet secondaire. Votre praticien ou votre marchand d'aliments naturels sauront vous renseigner sur les doses à prendre.

Une leçon à apprendre : Les produits de la compagnie *Natrem* sont présentés dans des bouteilles de verre opaque. Le verre aide à protéger le produit de l'humidité; malheureusement, c'est le seul des produits «haut de gamme», à l'exception du *Serodophilus* de *Seroyal*, qui soit emballé ainsi. Les autres compagnies devraient suivre l'exemple.

Les produits *Megadophilus* (*Superdophilus* pour les professionnels de la santé) et *Life Start II* (*Bifido Factor* pour les professionnels) sont distribués au Canada par *Flora Inc.* Les deux produits sont disponibles dans les épiceries d'aliments naturels.

Les capsules de yaourt?

Les capsules de yaourt ne contiennent définitivement pas une concentration suffisante de bactéries pour défendre l'intestin. Des doses massives (environ 10 milliards de bactéries par jour) sont nécessaires au traitement du candida.[30] Or, les capsules de yaourt n'en contiennent que 200 millions par comprimés (parfois moins). Il faudrait en prendre plus de 50 par jour! Les L. Bulgaricus et Thermophilus sont les bactéries lactiques utilisées pour faire le yaourt; leurs propriétés thérapeutiques n'ont pas été établies.

Le yaourt n'est pas recommandé pour traiter le candida, pour les raisons énoncées au paragraphe précédent.

L'utilisation de bactéries lactiques est cependant indispensable dans le traitement contre la levure de type candida.

Combler les carences particulières

Les gens souffrant de candida ont souvent des carences alimentaires. Il est nécessaire — afin d'accélérer le processus de guérison et permettre au patient de vaquer à ses occupations quotidiennes — de combler

ces carences nutritives et d'améliorer les fonctions organiques. Il faut de plus favoriser l'élimination des allergies spécifiques.

Le complexe «B»

La majorité des gens souffrant de candida ont une
carence en vitamines du complexe B, ceci parce que
les bactéries lactiques qui synthétisent les vitamines
du complexe B sont en nombre insuffisant chez ces
individus. Il faut suppléer leur alimentation avec de fortes doses de vitamines B. De plus, si les symptômes
indiquent que le système nerveux est particulièrement
atteint, l'on devrait avoir recours à des mégadoses.

Puisque la levure est une source privilégiée de vitamines B, nombre de bons produits sont fabriqués à partir de cet aliment.

Même si ce sont d'excellents suppléments, les gens
atteints de candida ainsi que ceux souffrant d'allergies, doivent les éviter. Il faut donc choisir un supplément du complexe B **sans levure**.

Quelques faits

1. Il existe plusieurs vitamines B (de B_1 à B_{17}); elles
forment ce qu'on appelle le complexe B. Les gens inté-
ressés pourront consulter un prochain ouvrage sur l'alimentation et les éléments nutritifs.

2. Les vitamines du complexe B agissent en tant
que coenzymes dans l'organisme. Elles sont donc
nécessaires pour activer certaines enzymes.

3. Selon plusieurs études, les vitamines B aident à contrôler l'envie de consommer les aliments sucrés.[14] Cela est évidemment important dans le traitement de la candidose.

4. Les vitamines du complexe B sont essentielles au bon fonctionnement du système nerveux.

5. Étant donné que les vitamines B sont hydrosolubles, on ne peut trop en consommer; l'organisme prend ce dont il a besoin, emmagasine ce qu'il peut et élimine le reste.[31]

6. Les vitamines du complexe B servent de coenzymes dans le processus permettant de libérer l'énergie fournie par les hydrates de carbone. Certaines, dont la vitamine B_{12} et l'acide folique, aident à fabriquer l'hémoglobine du sang; elles sont nécessaires pour prévenir l'anémie.

7. Les vitamines du complexe B sont dites vitamines « antistress».

Comment choisir le produit

Il existe une grande variété de complexes de vitamine B. Il faut choisir un produit qui contient le moins d'éléments allergènes : pas de sucre, levure, maïs, produits laitiers, soya, colorants ou produits artificiels.

Il ne doit pas non plus contenir d'agents de conservation. Le produit idéal doit réunir de fortes doses du complexe B, dont au moins 50 mg des vitamines B_1, B_2, B_3, B_5, B_6, la choline et l'inositol.

Il doit aussi contenir un minimum de 50 mcg de vitamine B_{12}, 1 mg d'acide folique et 35 mg d'APAB (PABA). (L'APAB peut causer des réactions allergènes chez certains individus; il faut parfois utiliser un produit qui n'en contient pas.)

Quelques exemples de formules du complexe B :

1. Orti-B / Seroyal

Acide folique	.400 mcg
Thiamine (B_1)	75 mg
Riboflavine (B_2)	75 mg
Niacinamide (B_3)	75 mg
Pyridoxine (B_6)	75 mg
Cobalamine (B_{12})	100 mcg
Biotine (H)	300 mcg
Acide panthoténique (B_5)	125 mg
Choline	50 mg
Inositol	50 mg
PABA	40 mg

2. Formula B-100 / Solgar

B_1	100 mg
B_2	100 mg
B_3	100 mg
B_6	100 mg
B_{12}	100 mcg
Niacinamide	100 mg
Acide folique	400 mcg
Acide panthoténique (B_5)	100 mcg
PABA	100 mg
Choline	100 mg
Inositol	100 mg
Biotine	100 mcg

3. Mega B-150 / Nature's Plus

B_1	150 mg
B_2	150 mg
Niacinamide	150 mg
Acide panthoténique (B_5)	150 mg
Choline	150 mg
Inositol	150 mg
PABA	150 mg
Acide folique	250 mcg
B_{12}	150 mcg
Biotine (H)	150 mcg

En plus des trois produits mentionnés ci-dessus, notons Quest (Mega B-100), Rocky Mountain (B_{52}), et Nu-Life (Timed Ultra Stress), complexe B de Flora (tous trois de Vancouver) et Swiss Herbal (complexe B 100), un produit torontois. Toutes ces marques sont exemptes de levure. Cette liste n'est pas complète; il existe d'autres très bons produits. Il faut toutefois se montrer prudent dans son choix.

Biotine

La biotine, vitamine B_8 ou H, est une vitamine peu connue du grand public. Cette vitamine est normalement synthétisée par la flore intestinale. Une flore déficiente ne peut produire de biotine en quantité suffisante.

Chez les gens souffrant de candidose, cette vitamine revêt une importance particulière et ce, pour plusieurs raisons :

1. la biotine peut aider à prévenir la transforma-

tion du candida de sa forme unicellulaire à la forme mycélienne ;

2. des études ont démontré que les cellules formant les anticorps sont réduites de 96 % lorsque le taux de biotine est insuffisant ;[31]

3. elle intervient dans le métabolisme des acides gras, des protéines et des hydrates de carbone, ainsi que dans la synthèse de l'urée.

On recommande d'en prendre des doses quotidiennes de 300 mcg.

La vitamine B_6

La vitamine B_6 (pyridoxine) est une autre vitamine essentielle au traitement de la candidose. Cette vitamine joue un rôle très important dans le métabolisme des acides aminés à partir desquels sont constitués les anticorps.

1. Une carence en vitamine B_6 peut amoindrir l'activité des lymphocytes B et T.[14]

2. Elle peut prévenir les effets secondaires de certaines drogues dont la pilule contraceptive.[31]

3. Une carence en vitamine B_6 va souvent de pair avec l'asthme, le diabète, les maladies cardiaques et l'hyperactivité.[31]

4. La vitamine B_6 aide à réduire certains symptômes prémenstruels dont la tension et l'anxiété.

5. Presque tous les gens souffrant d'infection due au candida manquent de vitamine B_6.

D'autres vitamines du complexe B sont aussi utiles dans le traitement du candida albicans. Les vitamines B_3, B_5, B_{12}, l'acide folique, l'inositol et la choline. Un supplément des vitamines B fournira les doses nécessaires à contrer les effets du candida.

Parfois le praticien de la santé décide d'ajouter une ou l'autre des vitamines mentionnées ci-dessus selon les besoins individuels.

La vitamine C

La vitamine C (acide ascorbique) est sans contredit la vitamine la plus populaire. Grâce en grande partie aux travaux du Dr Linus Pauling, prix Nobel de chimie, cette vitamine est maintenant la plus utilisée en Amérique du Nord. Cette popularité n'est pas sans fondement scientifique.

La polyvalence de la vitamine C est reconnue grâce aux recherches scientifiques qui ont démontré son importance pour l'organisme humain.

Cette vitamine est unique; c'est la seule dont dépendent tous les tissus et organes du corps. En effet, la vitamine C régit la formation et le maintien du «mortier intercellulaire», le tissu conjonctif. L'intégrité cellulaire de tous les tissus et organes dépend donc de cette vitamine.

Elle est essentielle au traitement du candida pour diverses raisons:

1. Les gens souffrant d'une infection à la levure de type candida albicans sont habituellement sensibles aux polluants atmosphériques. Or, cette vitamine constitue un excellent désintoxicant. De plus, elle est l'un des principaux antioxydants; elle participe à l'activité des enzymes responsables du métabolisme des médicaments et de certains produits endogènes dont les hormones;

2. La vitamine C est nécessaire à l'absorption du fer et essentielle à la formation de ferritine (la forme sous laquelle le fer est emmagasiné dans le foie). Elle sert donc à la prévention de l'anémie ;

3. Cette vitamine est indispensable au métabolisme de la tyrosine, qui sert le fonctionnement de la glande thyroïde ;

4. Elle participe au contrôle de la plupart des sécrétions hormonales ;

5. La vitamine C joue un rôle important sur le plan énergétique ;

6. La vitamine C participe directement à la synthèse des anticorps. Elle stimule le système immunitaire et aide à augmenter la production des lymphocytes ;

7. Sous l'effet d'un stress, le taux d'acide ascorbique de la zone corticosurrénale baisse rapidement. Or la vitamine C accomplit un rôle important dans la synthèse des corticostéroïdes. Sa réputation de vitamine antistress est donc parfaitement justifiée ;

8. Certains experts affirment qu'elle peut :
— tuer des bactéries pathogènes ;
— accélérer le processus de guérison dans presque tous les cas pathologiques ;
— augmenter l'énergie sexuelle ;
— prévenir le vieillissement prématuré ;
— prévenir contre la grippe et le rhume ;
— réduire les dépôts de cholestérol et prévenir le cancer.[15-31]

Une vitamine seule ne suffit pas à nourrir l'organisme ; il faut pour cela la gamme complète des vitamines. Par contre, s'il fallait n'en prendre ou n'en recommander qu'une seule pour contrer presque toutes les affections, ce serait la vitamine C.

La vitamine C joue un rôle important de la thérapie visant à enrayer le candida, surtout pour renforcer le système immunitaire. Notons que le docteur Robert Cathcart utilise la vitamine C pour combattre le SIDA.[33]

On recommande de prendre au moins 3,000 mg de vitamine C par jour si l'on est atteint du candida. Étant donné qu'elle n'est pas emmagasinée dans l'organisme, elle n'a pas d'effet toxique; certains suggèrent d'en prendre jusqu'à 10,000 mg et plus chaque jour.[34]

Quel produit choisir?

La vitamine C existe sous différentes formes. L'idéal demeure la forme tamponnée, non acidifiante. Plusieurs experts, dont le Dr Richard Passwater, conseillent d'en prendre sous forme d'ascorbate de calcium.

L'ascorbate de calcium est une forme naturelle de vitamine C, tout comme l'acide ascorbique. Lorsqu'on absorbe de grandes quantités de vitamine C, on augmente son débit d'urine. Cette urine favorise la perte de minéraux qui doivent être remplacés. L'ascorbate de calcium remplace le calcium éliminé durant la miction.

La vitamine C est emmagasinée dans les cellules sous forme d'ascorbate de calcium, potassium, magnésium ou sodium, et non sous forme d'acide ascorbique. Certaines cellules contiennent une plus grande concentration d'ascorbate de calcium, dont les leucocytes, les surrénales, le thymus et le cerveau. Il semble donc logique de préférer la vitamine C sous cette forme.[35]

Il existe différentes marques de vitamine C sous cette forme : *Nu-Life, Sisu, Rocky Mountain, Swiss Herbal*.

L'acide ascorbique tamponné est une autre forme de vitamine C. On y ajoute des minéraux (électrolytes), dont du magnésium, du potassium et du calcium.

Le sagoutier (palmier dont la moelle fournit le sagou) offre une bonne source d'acide ascorbique ; ce produit est généralement bien toléré (comme l'ascorbate de calcium) par les gens sujets aux allergies alimentaires.

La compagnie *Nutri-Cology* a mis sur le marché une vitamine C tamponnée d'acide ascorbique dérivée du sagoutier. Tamponnée avec du calcium, du magnésium et du potassium, elle est distribuée par *Sisu*. *Quest* offre aussi une vitamine C de ce type, *Electro-C*.

Étant donné que la vitamine C n'est pas emmagasinée dans l'organisme, il est préférable d'en prendre plusieurs doses au cours de la journée plutôt qu'une seule dose massive. Deux solutions s'offrent à nous : les produits à dissolution graduelle ou simplement les vitamines à faible concentration que l'on prend plusieurs fois durant la journée.

Les comprimés à dissolution graduelle se dissolvent dans l'intestin durant une période allant de six à huit heures, voire davantage. Un ou deux comprimés par jour et le tour est joué. Ces produits sont pratiques, par contre leur assimilation et leur digestion ne sont pas toujours aisées. L'idéal consiste à prendre des doses moindres à intervalles réguliers.

Si le praticien recommande une dose quotidienne de 6 grammes de vitamine C, il est préférable d'en prendre un gramme aux trois heures jusqu'à concurrence de 6 grammes plutôt que deux comprimés de 3 grammes deux fois par jour.

On recommande, lorsque c'est possible, de prendre la vitamine C en poudre ou en liquide car elle s'assimile mieux ainsi. Afin de lier les différents composants sous forme de comprimé, il faut utiliser des substances qui peuvent parfois nuire à la digestion ou à l'assimilation de la vitamine.

Il est d'ailleurs préférable de prendre toutes vitamines (lorsqu'elles sont disponibles et de bonne qualité) **en liquide ou en poudre**. La compagnie australienne *Bioglan* a composé d'excellentes formules vitaminiques sous forme liquide ; ces produits sont distribués au Canada par *Bioglan Laboratories Inc.*, dont le siège social est à Toronto. D'autres compagnies offrent aussi de bons produits liquides. Il faut néanmoins s'assurer qu'ils sont exempts de toute forme d'alcool et de sucre.

La vitamine E

Selon le Dr Richard Passwater, les vitamines C et E sont requises en plus grandes quantités que les autres vitamines à cause de leur rôle antioxydant. Selon lui, la thérapie «antioxydant» (utilisant les vitamines C et E) peut prolonger la vie de neuf à dix années.[35-36]

Les antioxydants (surtout les vitamines C, E et le sélénium) jouent un rôle très important dans le contrôle des allergies. L'individu affecté par le candida albicans subit souvent des allergies multiples. Elles sont causées par divers problèmes, dont l'absorption de molécules de protéines dans le sang (voir l'Annexe) et la formation de radicaux libres (voir l'Annexe). Les antioxydants réduisent le taux de radicaux libres.

La vitamine E protège l'organisme de l'oxydation de certains produits essentiels au métabolisme cellulaire.

Elle empêche l'oxydation de la vitamine A, des acides gras, et d'autres substances enzymatiques et hormonales.

Elle joue un rôle dans la régulation de l'hémoglobine.

Cette vitamine exerce au sein de l'organisme diverses fonctions importantes :

1. elle réduit le besoin d'oxygène et accroît l'oxygénation de l'organisme;

2. cette vitamine est un agent vasodilatateur efficace; elle dilate les vaisseaux sanguins et améliore la circulation;

3. elle prévient la formation de cicatrices;

4. la vitamine E est un anticoagulant qui aide à prévenir les thromboses;

5. on l'utilise dans le traitement des maladies du coeur, de l'asthme, de l'angine de poitrine, des varices, de l'hypoglycémie et autres.

Cette vitamine forme avec la vitamine C et le sélénium ce qu'on appelle le complexe antioxydant.

Il existe deux formes de vitamine E : la forme *Dextro Alpha Tocopherol* (D),   la source naturelle et la forme *Levo Alpha Tocopherol* (L), la forme synthétique. Dans les magasins, vous trouverez cette vitamine sous les deux formes : *D-Alpha Tocopherol* et *DL-Alpha Tocopherol*. La plus active chez l'être humain est la *Dextro ou D-Alpha Tocopherol*.

En cas de candida, il est recommandé de prendre la vitamine E sous l'une des quatre présentations suivantes : émulsifiée, micellisée, en gélules et en poudre (*dri-caps*). La forme micellisée semble la plus assimilable. Selon certaines études, elle serait plus efficace qu'en gélules dans 43 % des cas. La forme émulsifiée est également supérieure aux gélules. Ces produits sont disponibles sous forme liquide qu'on peut mélanger à de l'eau ou du jus. *Bioglan Laboratories, Seroyal Canada, Nutri-Dyn* et *Nutritional Factors* distribuent ce type de produit.

Si vous ou votre praticien décidiez en faveur des gélules, il est recommandé d'utiliser des produits avec «tocopherols mélangés». Les compagnies *Nu-Life, Quest* et *Richlife* offrent des formules de vitamine E avec «tocopherols mélangés».

L'on doit en prendre au moins 200 unités internationales par jour.

Minéraux et oligo-éléments

Les minéraux et les oligo-éléments sont partie intégrante du traitement du candida. L'analyse des cheveux demeure l'une des meilleures façons de vérifier le taux de minéraux dans l'organisme. Selon le docteur Jeffrey Bland, cette analyse fournit des données qui ne sont pas accessibles d'autre manière.[38]

Le sélénium

Le sélénium est un oligo-élément qui entre dans la composition de l'enzyme glutathione peroxidase. Cet enzyme a une propriété antioxydante essentielle. Le sélénium joue donc un rôle de premier plan en tant qu'antioxydant. Cet oligo-élément favorise aussi le fonctionnement normal du coeur. Parce que plusieurs enzymes dépendent de cet élément, il joue un rôle indirect à différents niveaux :

1. il protège les muscles et les gardent sains ;
2. il stimule la production d'anticorps ;
3. il synthétise les protéines dans le foie et les globules rouges ;
4. il active les ADN et ARN ;
5. il lie l'oxygène à l'hydrogène.

À l'instar des autres minéraux, on retrouve le sélénium sous plusieurs formes. La forme chélatée est recommandée en vue d'une meilleure absorption. L'on doit aussi s'assurer qu'il n'est pas isolé à partir de la levure.

On conseille d'en prendre 50 mcg par jour ou plus, selon l'avis du praticien.

Le zinc

Le zinc est un autre minéral qui peut s'avérer utile dans le traitement du candida. Voici quelques-unes de ses propriétés :

1. il est essentiel à la croissance normale ;
2. il combat la maladie ;
3. il réduit l'inflammation ;
4. il aiguise l'odorat, la vue et l'ouïe ;
5. il est essentiel dans la formation de l'ADN, de l'ARN et dans la synthèse des protéines ;
6. il participe à la respiration tissulaire ;

7. il favorise le métabolisme de l'énergie;

8. il est requis pour le métabolisme de la vitamine A et la formation des os.

Une carence de zinc peut affaiblir l'immunité cellulaire. On conseille d'en prendre environ 50 mg par jour.

Magnésium

Le magnésium est un autre minéral qui peut favoriser cette thérapie. Il risque cependant d'être éliminé par des diarrhées ou des débalancements intestinaux causés par le candida.

Il faut souvent ajouter du magnésium à la diète, car on lui doit:

1. l'utilisation des vitamines B et E;

2. l'utilisation des gras, du calcium et des autres minéraux;

3. l'équilibre acide/alcalin du corps;

4. la production de lécithine et il prévient l'accumulation de cholestérol;

5. il intervient dans les contractions musculaires et dans les fonctions nerveuses.

Il est important, comme pour tous les minéraux, d'avoir un produit chélaté afin de s'assurer d'une absorption maximale. On conseille d'en prendre entre 300 et 500 mg par jour.

Les vitamines et les minéraux ont un rôle à jouer dans le traitement du candida. Comme dans toutes les phases de votre traitement, c'est au praticien de la santé de déterminer les carences et la manière de les combler.

Les autres compléments alimentaires

Le syndrome de la levure est un problème complexe qui affecte l'organisme humain en entier. En plus des carences en vitamines et en minéraux, certaines insuffisances devront être comblées par des suppléments alimentaires.

L'huile d'onagre

Cette huile est une source avantageuse d'acides gras essentiels dont les acides linoléique et gammalinoléique. Ces deux acides aident le corps à produire la prostaglandine. Or la prostaglandine participe au contrôle de l'action cellulaire en réglant l'activité de certains enzymes.[39] Les suppléments d'huile d'onagre semblent activer la production des lymphocytes-T, aider à réduire les symptômes prémenstruels et à nourrir le système nerveux. Elle existe sous différentes formes : le *Primerose Micelle* de *Bioglan*, le *Naudicelle* de *Swiss Herbal* et l'*Efamol* de *Efamol Research Laboratories*.

Il est recommandé d'en prendre entre deux et neuf gélules par jour ou un millilitre du *Bioglan Primerose Micelle*.

Enzymes digestifs

Le candida peut être causé, entre autres, par des aliments mal digérés qui perturbent l'équilibre de l'organisme. De plus, l'affection à la levure engendre souvent des perturbations au niveau des fonctions digestives.

Les suppléments d'enzymes digestifs sont parfois recommandés pour ce traitement. La pancréatine semble l'enzyme de prédilection auprès des gens affectés par la levure.

Détruire la levure

La levure devient fongueuse. «Sous cet aspect, elle produit des racines qui pénètrent les muqueuses».[21] C'est alors qu'elle cause le plus de dégâts. Il devient donc nécessaire d'utiliser un fongicide pour la détruire.

Les différents fongicides utilisés
a) selon la médecine conventionnelle;
b) selon les médecines alternatives.

La médecine conventionnelle

Nystatin: fongicide dérivé de moisissures. C'est un produit qui se lie à la membrane cellulaire du champignon, ce qui en modifie la perméabilité. Les liquides environnants entrent alors dans le champignon qui gonfle et éclate. Le *nystatin* est disponible en comprimés, en suppositoires, en crème, en onguent et en poudre.

Ce produit semble avoir peu d'effets secondaires et est efficace contre les levures à la surface de l'intestin.

Il est possible que le *nystatin* crée une dépendance si on l'utilise durant une longue période.[4]

Certains individus ont des réactions déplaisantes lors de l'utilisation de ce fongicide. Ces réactions peuvent être dues en grande partie à ce qu'on appelle la réaction de Herxheimer dont il sera question plus loin. On peut souffrir de nausées, de maux de tête, de fatigue et de fièvre.[2] Le *nystatin* peut causer des réactions allergiques chez certaines personnes. De plus, ce produit n'affecte pas les levures qui se trouvent dans la paroi intestinale.

Il faut se méfier des suppositoires fabriqués par les compagnies pharmaceutiques, car ils sont faits à base de lactose (sucre de lait). Le *nystatin* sous forme liquide est souvent en suspension dans une base composée de 50 % de sucrose. Or le sucre est l'aliment préféré de la levure.

Est-il sage d'utiliser un fongicide qui contient autant de sucre? Cela équivaudrait à essayer d'éteindre un feu avec un produit fait à 50 % d'eau et à 50 % d'essence.

Sous forme de poudre, le *nystatin* est efficace. Sauf qu'il peut ne pas l'être chez certains. Dans ce cas, le médecin décidera de prescrire un produit plus puissant, par exemple le *ketoconazole*.

Nyzoral (*ketoconazole*) : Cette drogue est beaucoup plus puissante que le *nystatin*. Elle a une activité plus complète que ce dernier puisqu'elle est absorbée dans le sang qui la propage à tout l'organisme.

Le *nyzoral* peut provoquer des effets secondaires indésirables. Il peut causer des nausées et en certains cas extrêmes, entraîner des inflammations du foie. On doit donc prendre ce médicament sous la supervision d'un médecin afin de vérifier son effet sur le système hépatique.

Clotrimazole : Cette drogue jadis administrée oralement est maintenant appliquée directement sur la partie infectée. Prise oralement, ses effets secondaires vont des hémorragies gastro-intestinales, à la diarrhée, aux hallucinations et aux déséquilibres mentaux de toutes sortes.

Les suppositoires de *clotrimazole*, à base de lactose (sucre de lait), sont donc incompatibles au traitement.

Amphotericin B (*fungilin, fungizone, amphomoronal*) : Utilisé surtout en Europe, ce médicament agit sur la levure tout comme le *nystatin*. Étant donné que ce produit n'est pas absorbé par la paroi de l'intestin, on doit l'injecter par voies intraveineuses.

Ce médicament peut entraîner de sérieux effets secondaires — endommager les reins et causer de l'urémie. En France, on le trouve sous forme de comprimés combiné à de la *tétracycline*. Il faut se rappeler que cette dernière détruit la flore intestinale ! À éviter.

Flucytosine : Ce produit administré oralement détruit environ 50 % des espèces de candida. Il se répand dans les tissus ainsi que dans les liquides de la colonne vertébrale et du cerveau.

Cette drogue entraîne de graves effets secondaires : nausées, réduction du taux de lymphocytes, intoxication du foie, maux de tête, étourdissements, etc.

Dans la gamme de fongicides utilisés par la médecine conventionnelle, le nystatin en poudre semble le plus sécuritaire.

Il est possible que les compagnies pharmaceutiques changent les formules de leurs produits. Les mises en garde énoncées dans cette section peuvent s'avérer désuètes. Seul votre médecin peut déterminer la valeur thérapeutique d'un produit.

Il faut utiliser les médicaments pharmaceutiques avec dédain et répugnance disait le docteur Paul Cacton[48]... Heureusement il y a des alternatives naturelles!

Les médecines alternatives

L'ail: Le composé actif de l'ail, l'allicin, est un puissant agent antibactérien. L'allicin gêne la reproduction et le développement des champignons sans pour autant affecter le patient. Des études démontrent que l'ail est plus efficace contre les levures pathogènes que le *nystatin*.[22]

Ces études élèvent l'allicin au rang de modèle afin de soulager les infections dues aux levures de type candida albicans.[22] L'allicin est un antibiotique naturel, en plus d'améliorer l'immunité de l'organisme.[25]

L'ail semble l'arme idéale contre le candida; c'est l'un des plus vieux remèdes et on ne lui connaît aucun effet secondaire.[23]

Le seul ennui provient de sa forte odeur. On en parle souvent comme d'un remède «antisocial». De plus, il est très difficile de déterminer la quantité nécessaire au traitement. On trouve cependant sur le marché différentes marques d'ail «inodore».

Ces produits en capsules n'ont toutefois pas tous le même effet. Il est important de choisir un supplément d'ail sous forme de comprimés, de capsules ou de gélules contenant le moins d'additifs possible. Vérifiez l'étiquette afin de vous assurer que le produit ne contient aucune levure, sucre, produit chimique ou agent de conservation.

Parmi les meilleurs produits disponibles chez les marchands d'aliments naturels, notons : *Kyolic, Allirich* (de *Arizona Natural*), l'ail en capsules de *Sisu Enterprises, Sero-Garlic* de *Seroyal* (disponible chez les praticiens de la santé exclusivement), et *SGP*.

Le meilleur produit serait, selon les chercheurs, l'ail séché à froid que l'on trouve sous forme de poudre. Afin d'obtenir de l'huile, on doit faire chauffer l'ail à plus de 200 degrés. Or l'allicin est détruit à des températures supérieures à 75 degrés. Parmi les produits mentionnés ci-dessus, notons que *Kyolic, SGP, Sisu* et *Allirich* sont tous des produits séchés à froid.

Afin de traiter le candida, on recommande de prendre 2 ou 3 capsules d'ail en autant de fois par jour et ce, après les repas.

À fortes doses, l'ail devient un puissant fongicide, ayant l'avantage de n'avoir aucun effet secondaire. Il n'est pas toxique et il favorise l'immunité naturelle.

L'ail est le plus ancien des aliments-médicaments.[28] *C'est un produit naturel qui nous rappelle les mots d'Hippocrate, le père de la médecine : «Que ton aliment soit ton remède».*

L'acide caprylique (acide octanoique) : Autre fongicide naturel. L'acide caprylique est un acide gras que l'on retrouve surtout dans la noix de coco et chez les chèvres.

Des études démontrent que l'acide caprylique dissout la membrane cellulaire des levures, permettant des changements dans les liquides de la cellule ainsi que dans sa perméabilité. Ceci cause la destruction de la cellule.

L'acide caprylique est efficace contre tous les types de candida sans être toxique. Ce produit n'affecte pas la flore intestinale. De larges doses peuvent causer chez certains des diarrhées et des nausées. Ceci s'explique probablement par la réaction de «Herxheimer» (voir à la fin de cette section) ou par les ingrédients ajoutés aux capsules.

L'acide caprylique n'est ni un médicament ni une drogue, mais un supplément alimentaire à base d'acide gras qui imite les acides gras produits par la flore intestinale et dont le rôle est de contrôler la prolifération des levures.

Il existe plusieurs produits à base d'acide caprylique. On les retrouve en général chez les marchands d'aliments naturels ainsi que chez les praticiens de la santé. Tous les produits n'ont pas la même valeur thérapeutique; certains sont définitivement de qualité inférieure. Il est important de choisir un produit qui se dissout graduellement dans l'intestin. L'acide caprylique est métabolisé par le foie et ne circule pas dans tout l'organisme. Le produit est actif dans le conduit intestinal ou alors pas du tout, d'où l'importance de sa dissolution graduelle à cet endroit.

Certaines formules d'acide caprylique se dissolvent dans l'oesophage et dans l'estomac. Ces produits sont complémentaires en cas de prolifération des levures à tout le conduit gastro-intestinal.

L'acide sorbique est un autre produit utilisé pour le traitement du candida. Cet acide a des propriétés anti-microbiennes agissant contre divers organismes, dont le candida albicans. L'acide sorbique agit sur la membrane cellulaire du champignon, l'empêchant d'utiliser ses acides aminés.

L'acide propionique est un acide gras aux propriétés antifongiques ; il empêche la levure de passer à la forme mycélienne.

Plusieurs produits contiennent à la fois de l'acide caprylique, de l'acide sorbique et de l'acide propionique.
La candidose est devenue une affection répandue. Nombre de compagnies produisent des traitements plus ou moins adéquats. Certaines entreprises n'ont d'intérêt que le profit qu'elles peuvent tirer de cette situation au détriment de la qualité de leurs produits.

Quelques bons produits à base d'acide caprylique

Serostatin : fongicide fait d'éléments naturels. Ce produit est formulé spécialement pour ceux à qui le candida albicans pose des problèmes. *Serostatin* est conçu pour agir au niveau de l'intestin. Il contient, entre autres, de l'acide sorbique (400 mg), de l'acide propionique et des vitamines. Le *Serostatin* fait partie d'un programme de diagnostic et de traitement conçu par *Seroyal Brands Inc.* On le trouve chez les praticiens de la santé et dans certaines pharmacies. Distribué par *Seroyal Canada Inc.*

Capricin : La compagnie *T.E. Neesby* a mis au point un excellent produit à base d'acide caprylique. Chaque comprimé en contient 300 milligrammes et se dissout graduellement, ce qui permet une dispersion uniforme le long de l'intestin et dans le côlon où le taux de levure est habituellement très élevé. Selon la compagnie *T.E. Neesby*, *Capricin* serait efficace contre les levures qui ont pénétré les muqueuses.

Caprol : composé d'acide caprylique et d'acide oléique sous forme liquide. L'acide oléique empêche la transformation de la forme unicellulaire à la forme mycélienne des levures. L'huile d'olive contient entre 56 % et 83 % d'acide oléique. Ce produit est absorbé au niveau de l'intestin. Selon le programme du fabricant (*Attogram Corporation*), *Caprol* doit être mélangé avec du psyllium en poudre afin d'assurer la dissolution graduelle de l'acide caprylique. Chaque cuillerée à soupe de *Caprol* contient 1 800 mg d'acide caprylique. *Caprol* est vendu en exclusivité aux praticiens de la santé et distribué dans les magasins d'aliments naturels par *Purity Life* sous le nom de *Caprylive*.

Caprystatin : composé d'acides gras (incluant de l'acide caprylique) dérivés de l'huile de coco qui se disperse uniformément et graduellement dans le côlon. Chaque comprimé contient 100 mg d'acides gras.

Kaprycidin-A : ce produit est formulé pour agir dans la région gastro-intestinale supérieure, surtout au niveau de l'estomac et de l'oesophage, où l'on retrouve parfois une abondante prolifération de candida albicans. Ce produit est disponible sous forme de capsules contenant 325 mg d'acides gras dérivés de l'huile de coco. On doit l'utiliser de pair avec l'acide caprylique, qui se dissout à son tour dans l'intestin.

Capri-Gar : autre fongicide. Il contient des acides caprylique, sorbique et oléique, en plus de l'ail et de différentes vitamines. Ce produit est fabriqué par *Karuna Corporation* et distribué au Canada par *Physicians Vita Corp.* Il est disponible chez les praticiens de la santé ou en pharmacie.

Afin d'éviter la réaction de Herxheimer, il est parfois nécessaire de commencer le traitement à petites doses puis d'augmenter graduellement.

Un nombre croissant de compagnies fabriquent des comprimés d'acide caprylique. Il faut être prudent dans le choix du produit, surtout si celui-ci est fabriqué aux États-Unis. La réglementation américaine n'est pas aussi sévère que la canadienne. «N'importe qui» peut fabriquer un produit contenant «n'importe quoi» et en faire commerce en prétextant qu'il soulage la candidose. Certaines fois, ce «fongicide» ne réussit qu'à détruire l'espoir de guérison, sans compter ce qu'il en coûte à la personne mal informée. Il faut le répéter : c'est au praticien de la santé que revient le choix du fongicide approprié.

La réaction de Herxheimer

Au cours des premières semaines de traitement de la candidose, certains symptômes sont susceptibles de s'accroître. Des malaises comme la grippe peuvent survenir, des douleurs s'amplifier, la fatigue peser davantage, etc.

Certains facteurs favorisent cette réaction, dont le fait d'exclure du régime certains aliments toxiques auxquels l'organisme s'était habitué. Ces aliments créent une dépendance ; les éliminer entraîne donc des réactions similaires à celles que subit un narcomane privé de drogue. Cesser de fumer la cigarette provoque des malaises tels l'irritabilité, la boulimie, etc. Le phénomène est semblable. Ne plus consommer de sucre et autres aliments nuisibles entraîne fréquemment des réactions dues au sevrage.

Tout l'organisme se concentre afin de livrer combat au candida albicans. On fait le ménage. La désintoxication exige énormément de vitalité. L'énergie disponible pour l'exécution des fonctions «moins importantes» est de ce fait considérablement réduite.

Ces réactions surviennent pour différentes raisons :
a) alimentation insuffisante ;
b) adaptation à une nouvelle diète ;
c) trop ou peu d'hydrates de carbone ou de protéines.
Ex. : une consommation excessive de protéines exigera un plus grand effort des reins pour évacuer l'acide urique (résidus de protéines). Ce processus requiert beaucoup d'énergie, laquelle n'est pas utilisée à ce moment pour la désintoxication.

La réaction de Herxheimer est répandue chez la majorité de ceux qui suivent ce genre de traitement, surtout lorsqu'on utilise un fongicide. Les toxines libérées graduellement dans l'organisme par les champignons sont soudainement relâchées lorsque le candida albicans est détruit par le fongicide. Ceci provoque des symptômes spécifiques à la candidose. On se sentira d'abord mieux pendant une semaine ou deux, puis on ressentira des symptômes qui avaient disparu au début du traitement. Si on n'a pas dérogé au traitement, on subit en ce cas la réaction de Herxheimer. C'est un signe rassurant, quoique difficile à supporter. Les champignons s'éliminent, la guérison et la désintoxication opèrent.

Aux praticiens de la santé

Le praticien de la santé doit faire tout son possible afin d'éviter ou de minimiser les réactions désagréables en cours de thérapie. À tout le moins doit-il en informer la personne qui entreprend le traitement.

Il faut alors prendre en considération différents facteurs :
1. la vitalité du patient ;
2. son âge ;
3. ses états pathologiques pré-existants ;
4. son état psychologique ;
5. l'état du système digestif ainsi que les habitudes alimentaires existantes en vue de l'élaboration d'une diète ;
6. le niveau d'intoxication due aux champignons justifiera l'adoption d'un traitement plus ou moins sévère, voire même drastique.

Ces différents facteurs pouvant varier énormément d'une personne à l'autre, il en ira ainsi du traitement.

C'est pour cette raison que seul le praticien de la santé peut traiter de façon convenable le syndrome de la levure.

L'immunothérapie

Certains suppléments aident les éléments essentiels à renforcer le système immunitaire. Notons, entre autres, la vitamine C, les extraits glandulaires, l'échinacéa et les extraits de levure candida albicans. Il a été question de vitamine C ci-dessus.

Les extraits glandulaires sont utilisés par beaucoup de praticiens dans le but de soutenir le système immunitaire. Ils existent sous différentes formes et sont disponibles dans les pharmacies, les épiceries d'aliments naturels et chez les praticiens de la santé.

Le docteur Orian Truss, découvreur de ce syndrome, a élaboré une thérapie alliant l'immunothérapie et l'ingestion d'extrait de la levure candida albicans. En avalant une légère dose de la levure candida albicans, on stimule le système immunitaire qui peut alors produire les antigènes qui formeront les anticorps nécessaires à la guérison. Ces dilutions homéopathiques stimulent les réactions défensives de l'organisme et le préparent au combat contre la candidose. On utilise des doses entre les sixième et quinzième dilutions, la quinzième étant la plus faible. Il est préférable de commencer par la plus faible dilution (15e) et augmenter graduellement vers la dilution la plus forte (6x), selon l'état du patient. On peut administrer ces doses sous la langue ou par injection.

C'est évidemment au praticien de la santé de déterminer le moyen ainsi que les dilutions requises.

Différentes compagnies ont mis au point des dilutions de ce genre, dont le *Serodex (Candex)* de *Seroyal Brands*.

Beaucoup de praticiens de la santé utilisent des extraits d'*échinacéa* pour aider à renforcer le système immunitaire. Elle est l'un des antibiotiques les plus sûrs de la médecine naturelle, car elle n'a pas d'effets secondaires et ne détruit pas la flore intestinale. Cette plante aide à stimuler et accélérer l'élimination de toxines et elle agit comme un antiseptique.[41]

Il existe différents produits à base d'échinacéa. On peut la retrouver sous forme de teintures, de dilution homéopathique ou en comprimés. Le *EVC* fait par *Sisu Enterprises* est un excellent produit à base d'échinacéa. Il contient 300 mg d'échinacéa, de la vitamineC, du zinc, de la vitamineA et de la vitamine B_6, en plus de bioflavonoïdes. *Herbasanté* offre une teinture à base d'échinacéa.

Votre praticien de la santé peut vous recommander d'autres méthodes pour renforcer le système immunitaire.

L'exercice physique

L'exercice physique est essentiel à la santé. Il aide à améliorer la circulation, ce qui permet une meilleure oxygénation des tissus. Selon des études récentes, l'exercice améliore la capacité d'autodéfense de l'organisme. Il aide aussi à «relaxer»; or la relaxation est bénéfique à tous les systèmes de l'organisme.

Il n'est pas nécessaire de faire des exercices violents afin d'en tirer des bienfaits. L'important c'est de «bouger», de faire circuler le sang. Il existe de nombreuses méthodes permettant aux jeunes et aux moins jeunes de faire de l'exercice.

La marche à pied demeure encore la meilleure forme d'exercice. Elle ne requiert aucun équipement et ne se pratique à aucun endroit spécifique. L'important, c'est de marcher de façon continue. Une promenade de quinze ou vingt minutes par jour plusieurs fois la semaine fait davantage que trois heures d'exercices violents une fois la semaine. On doit donc se faire un horaire et le respecter. Il est aussi très important, quel que soit l'exercice choisi, de faire le vide, de ne penser qu'à l'effet bénéfique de l'exercice sur la santé.

Plusieurs formes d'exercice sauront intéresser différents individus selon leurs goûts personnels, leur âge, leur état de santé et leurs moyens financiers. Répétons-le : l'important c'est de **bouger**!

L'être humain n'est ni un corps, ni un esprit. Il est composé de deux éléments constituants indissociables qu'on nomme corps et esprit, soma et psyché.

Dans toute démarche visant à rétablir la santé, l'aspect psychique doit être considéré. Le psychique trouve sa part à la santé comme à la maladie.

Il faut avant tout approcher la candidose de façon positive. Ce champignon nous alerte ; il indique un déséquilibre de l'organisme, il nous prévient de rétablir cet équilibre.

La maladie n'est jamais plaisante. Par contre, elle est un signe positif démontrant que l'organisme peut encore combattre ce qui le menace. **Tout symptôme n'est en fin de compte que le résultat d'un processus d'autoguérison.** La maladie est le signe que l'organisme peut encore se défendre, et qu'il y a donc espoir de guérir.

C'est avec cette **attitude positive** qu'il faut entreprendre la thérapie visant à rétablir l'homéostase de l'organisme. Nombre de méthodes existent qui peuvent aider l'individu au niveau psychique.

Lire un bon livre sur le sujet, comme celui du docteur Roger Foisy, «Comment vaincre les maladies psychosomatiques» (Edilazer 1987, diffusion Flammarion) ou les autres livres du même auteur.

La **méditation** est certes une discipline et un art qui a aidé beaucoup d'individus en quête de guérison physique. Elle permet de faire le «vide» et d'accéder à un autre niveau de conscience, elle aide aussi à nettoyer tous ces «fils d'araignée» qui hantent le subconscient et empêchent souvent la guérison.

La **relaxation** aide l'individu à se reposer pour que le corps puisse concentrer ses énergies vers l'autoguérison. Dans notre société stressée, la relaxation apporte un vent de fraîcheur.

Quelle que soit la religion ou l'irreligion à laquelle on appartient, il est nécessaire de croire en quelque chose et surtout en quelqu'un. La **foi** en un être suprême est nécessaire à la guérison de l'âme et aussi du corps. Dans cette perspective, la **prière** s'avère, en tant que mode de communication avec cet Être, un instrument de guérison.

La haine et la rancune, ainsi que tout sentiment négatif envers autrui ou soi-même, sont des émotions qui privent de cette énergie vitale nécessaire à la guérison. Il faut adopter un mode de vie qui ne cède pas de place à ces sentiments négatifs, cultiver l'**amour** et le **pardon** autant que cela est humainement possible. Il ne s'agit pas de faire «l'ange», car comme le disait Pascal : «Qui essaie de faire l'ange, fait la bête». Il s'agit simplement d'être le plus humain possible avec toutes les imperfections que cela puisse impliquer.

La *bio-respiration* est une technique privilégiée afin de libérer les tensions physiques et émotionnelles, pour ainsi accélérer le processus de guérison et acquérir davantage d'énergie.

Que faire maintenant?

Cet ouvrage est avant tout un outil d'éducation sur ce qui peut être la maladie du siècle. Il ne peut servir pour diagnostiquer ou soigner. Il traite du problème en général. Les cas particuliers doivent être diagnostiqués et traités par des gens compétents.

Si vous croyez que vos problèmes de santé sont reliés à l'infection par la levure candida albicans, il faut:

1. consulter un praticien de la santé pour qu'il évalue votre condition;

2. cesser immédiatement les habitudes alimentaires qui affaiblissent votre système immunitaire et déséquilibrent votre organisme. Cesser de consommer du sucre raffiné, de la farine blanchie et des intoxicants tels les drogues non-prescrites;

3. ne pas vous apeurer inutilement. Quoi qu'en disent certains, le candida albicans **n'est pas** le précurseur du **SIDA**. Si vous souffrez du syndrome de la levure, sachez que vous pouvez en guérir. Le traitement peut être long et parfois difficile, mais la santé vous attend;

4. même si la terminologie utilisée dans cet ouvrage (ou dans d'autres livres) laisse sous-entendre que la levure est un parasite monstrueux, sachez qu'elle

n'est qu'un micro-organisme inoffensif lorsque l'organisme est sain;

5. assumez la **responsabilité** de votre maladie et celle de votre guérison.

Et si le médecin ne me croit pas?

Il est possible que votre praticien de la santé ne connaisse pas le candida albicans, ou qu'il n'y croit pas. Dans ce cas, quatre solutions s'offrent à vous:

1. **apportez-lui ce livre afin qu'il prenne connaissance du problème;**

2. **demandez-lui de contacter la Fondation québécoise de recherche et d'information sur le Candida pour obtenir plus de précisions;**

3. **consultez la Fondation pour connaître les noms des praticiens qui traitent ce syndrome;**

4. **jusqu'à ce que vous ayez rencontré un praticien qui est prêt à vous entendre et à vous traiter, vous pouvez:**

   a inclure des acides gras essentiels à votre diète, idéalement de l'huile d'onagre (*Evening Primerose Oil*) en gélules ou en liquide mycellisé;

   b prendre les éléments nutritifs suivants (que vous retrouverez dans toutes les épiceries d'aliments naturels):

   — un composé de bactéries lactiques L. Acidophilus, L. Bifidus et S. Faecium tel que décrit dans la section «Refaire la flore intestinale»;

   - une préparation d'ail en capsules tel que décrite dans la section «Détruire la levure»;

   c pratiquez l'art d'être heureux, soyez positifs. Tout ira mieux avec le temps;

d continuez à chercher un praticien compétent;
e informez votre entourage de ce malaise pour qu'ils n'aient pas à connaître cet inconvénient;
f joindre un groupe de gens atteints de la même maladie. Formez-en un s'il n'en existe pas dans votre région. Entrez en contact avec la Fondation sur le Candida pour y chercher de l'assistance;
g Souriez à la vie. Malgré tout nous vivons dans un monde merveilleux.

Bon courage et bonne chance!

13. Le candida albicans et les allergies

Les personnes atteintes de candida albicans souffrent généralement d'allergies. On se demande souvent si les allergies engendrent le candida ou si le candida initie les allergies. C'est le problème de «la poule ou de l'oeuf». Les allergies peuvent être causées par différents facteurs qui affaiblissent le système immunitaire et prédisposent donc à l'infection de candida albicans.

Le candida albicans peut aussi être la source d'allergies multiples. Voici pourquoi.

Lorsque la levure prolifère dans l'intestin, elle peut, sous forme unicellulaire, se transformer à la forme mycélienne. Le candida albicans est un organisme dimorphe : il peut donc vivre sous la forme de levure (unicellulaire) ou sous la forme mycélienne. La forme de levure ne cause pas d'ennui grave à l'organisme ; c'est sous la forme fongueuse que les problèmes apparaissent. Sous cette forme le candida albicans développe des structures ressemblant à des racines qui peuvent pénétrer les muqueuses. Cette pénétration de la muqueuse peut détruire la barrière qui sépare le milieu intestinal du sang. Ceci permettrait l'introduction de substances indésirables (antigènes) dans le flot sanguin. Des protéines mal digérées peuvent alors pénétrer dans le sang par des voies produites par la forme mycélienne du candida albicans. Il en résultera alors des réactions allergiques de toutes sortes chez les gens atteints de candida albicans.

Certaines de ces protéines circulant dans le sang peuvent avoir des effets similaires aux endrophines (groupe de composés affectant la perception de la douleur et certains aspects du comportement) et peuvent changer l'humeur, la mémoire et le comportement. Ceci explique en partie les problèmes d'ordre psychologique causés par l'infection de levure.

Les allergies vont de pair avec la candidose, et vice versa, sans que l'on sache laquelle initie l'autre. Il faut donc tenir compte des soins à prodiguer pour des allergies spécifiques. De même, il est prudent de vérifier la présence ou non de levure candida albicans chez les personnes souffrant d'allergies.

14. Aux praticiens de la santé

Jusqu'à récemment on affirmait le caractère inoffensif du candida albicans. Les infections de champignons dans la bouche et les vaginites étaient les maladies les plus graves que l'on pouvait attribuer aux levures intestinales. On a démontré qu'un développement rapide et soutenu du candida albicans peut aller jusqu'à menacer la vie dans certains cas.

Le candida albicans devient plus fréquent d'année en année; ceci peut s'expliquer par l'environnement moderne. Afin que le candida albicans demeure inoffensif, trois conditions doivent être respectées : premièrement, on doit trouver des bactéries saprophytes intestinales; deuxièmement, le système immunitaire doit être indemne; troisièmement, le taux du pH gastro-intestinal doit demeurer dans les limites normales. Les antibiotiques à spectre large détruisent les bactéries saprophytes ainsi que les bactéries pathogènes. On peut ajouter à l'effet de ces antibiotiques ceux contenus dans le fourrage du bétail. Les stéroïdes endommagent le système immunitaire et la pilule contraceptive, un dérivé de stéroïdes, prédomine de nos jours. La pollution peut affaiblir le système immunitaire et peut devenir un allergène chez certains. Le stress de la vie quotidienne y contribue aussi. La stimulation des glandes surrénales (*medulla surrenale*) inonde le corps de stéroïdes biologiques. Étant donné que nous ne pouvons les utiliser pour «fuir ou combattre», il en résulte un affaiblissement de l'immunité. Finalement, une alimentation pauvre en éléments nutritifs modifie le pH gastro-intestinal tout en fournissant au candida albicans d'amples réserves d'hydrates de carbone qui stimulent sa croissance.

Il en est résulté une hausse du taux d'incidence de la candidose. En fait, tous sont exposés à quelques-uns des facteurs causant cette maladie et 30 % des Nord-Américains peuvent en montrer des signes. Étant donné que peu de praticiens sont préparés à traiter le candida albicans, il en résulte une crise dans le domaine de la santé.

Les drogues-miracles peuvent causer la maladie, mais il n'en existe aucune pour la soigner. De plus, les symptômes qui caractérisent la maladie sont nombreux : allergies, migraines, douleurs aux articulations ressemblant aux douleurs arthritiques, dépressions et perte de la libido. Qui plus est, jusqu'à récemment la maladie était extrêmement difficile à diagnostiquer.

Pour ces raisons, beaucoup de praticiens ont mis en doute l'existence du candida albicans en tant qu'entité spécifique. Cela eut pour résultat que plusieurs patients reçurent nombre de traitements pour différentes affections lorsqu'ils présentaient un ensemble de symptômes reliés au candida albicans.

Trop souvent on établit un diagnostic de névrose, on prescrit des tranquillisants dont le patient n'a pas besoin et on l'envoie chez des conseillers qui ne peuvent lui venir en aide.

Des millions de Nord-Américains cherchent une aide que le corps médical refuse de leur donner, simplement parce que cette maladie est difficile à cataloguer. Voilà l'impasse du candida albicans.

Heureusement, les moyens de résoudre ces difficultés sont maintenant à notre portée. Le candida albicans peut être diagnostiqué avec précision. Et, ce qui est beaucoup plus important, on peut le traiter efficacement et en toute sûreté.

Cet ouvrage a pour but d'expliquer ce qu'est la candidose au plus grand nombre de gens. Il s'agit d'un livre de vulgarisation, non pas un ouvrage scientifique. Il renseignera néanmoins le praticien désireux d'en connaître davantage sur cette maladie. Par après, il pourra consulter les ouvrages spécialisés ou contacter la Fondation de recherche et d'information sur le candida albicans.

15. Qu'est-ce que les radicaux libres?[11]

Les radicaux libres résultent du métabolisme cellulaire. Ce sont des atomes ou groupes d'atomes avec un électron non-jumelé. Cet électron est très réactif, cherchant à être jumelé à un proton. Ceci rend les radicaux libres très imprévisibles. Ils peuvent se joindre à d'autres molécules pour en changer la structure et ainsi créer des «mutations» qui causent des réactions anormales dans l'organisme. Ils sont aussi le résultat des polluants chimiques et environnementaux : l'eau, la fumée, les radiations, etc. Selon le Dr Stephen Levine, ces radicaux sont comparables à la friction qui résulte des opérations de la vie.[37] Ils sont l'une des causes premières du vieillissement, du cancer et de toute dégénérescence cellulaire.[11]

Selon le Dr Levine, les infections chroniques causées par la levure incitent les phagocytes à produire un excès d'oxydants (des radicaux libres) tel le superoxyde. Il y aurait donc, chez l'individu infecté par le candida albicans, une plus grande formation de radicaux libres, cause d'un grand nombre des symptômes attribués à la candidose.

Cette «friction» des radicaux libres est atténuée par les antioxydants. On peut comparer les antioxydants à l'huile qui réduit les frictions dans les engrenages.

Ces antioxydants donnent un proton à l'atome ayant seulement un électron, l'équilibrant ainsi, et le rendant inoffensif.

Parmi les antioxydants, notons : la vitamineC (mentionnée ci-dessus), la vitamineE, le sélénium, le glutatione peroxydase (un enzyme), le superoxyde dismutase (SOD, aussi un enzyme) et la vitamineA (antioxydant moins important).

Ces six éléments sont très importants afin de réduire les dommages cellulaires, chez les personnes atteintes.

16. La santé accessible

Il est possible de recouvrer la santé quel que soit son état actuel. De plus, si l'on se croit en santé, il est toujours possible de l'être plus encore.

Notre corps et notre esprit ont besoin d'éléments nutritifs afin de fonctionner de façon optimale. Ce chapitre fera état brièvement de l'alimentation. Un prochain ouvrage traitera le sujet en profondeur.

La base de l'alimentation devrait inclure :

Des graines, des noix et des céréales complètes. Les céréales telles le blé, le millet, le bulghur, le seigle, l'avoine et le sarrasin. Ces céréales doivent être complètes, non raffinées. Les graines provenant du lin, du sésame, du tournesol et de la citrouille. Des noix non salées et non rôties telles les amandes, les avelines, les noix de Grenoble, etc.

Les légumes. On doit les consommer frais (pas en conserve ou surgelés), sans trop les faire cuire. Si vous les cuisez, alors que ce soit à la vapeur, au bain-marie ou dans un chaudron «Vapor-Control» (pas un autocuiseur).

Les fruits sont une source importante majeure de glucides. Si l'on est affecté par le candida albicans, il serait sage d'éviter les fruits pour un certain temps, selon les recommandations du praticien de la santé. Les consommer frais, éviter les fruits en conserve et surgelés. On peut les manger ou en faire des jus.

Les huiles pressées à froid, car elles gardent toute leur valeur nutritive.

Si vous devez absolument sucrer quelque chose, utilisez du miel ou du jus de fruits et non pas du sucre blanc ou de la cassonade.

Ces aliments doivent être en majorité consommés crus et être, si possible, exempts de pesticides, d'herbicides, d'engrais ou d'agents de conservation chimiques.

- Ne mangez que lorsque vous avez faim.
- Mastiquez bien vos aliments, ensalivez-les bien.
- Évitez de trop manger.

Évitez, si possible, les :
- excès d'alcool;
- excès d'épices, de poivre ou de vinaigre;
- les farines raffinées, le pain et les pâtisseries faits de farine blanchie;
- les aliments en conserve ou surgelés ainsi que ceux contenant des colorants, des saveurs ou agents de conservation artificiels;
- les drogues légales et illégales : café, thé, tabac, narcotiques, somnifères, etc.

17. Quelques adresses utiles

Produits pour professionnels seulement

Physician's Vita. Corp.
(produits Karuna)
115, Kennard Ave.
Downsview (Ont.)
(416) 631-9368

Gordon Piller Inc.
(Anabolic Lab.)
Unit Two
2175 Dunwin Dr.
Mississauga (Ont.)
(416) 828-6600

Sisu Enterprises
1724 West Broadway
Vancouver (C.-B.)
1-800-663-4163

Attogram Corp.
Bolton (Ont.)
(416) 857-3888

Seroyal Canada
44 East Beaver Creek
No. 11
Richmond Hill (Ont.)
1-800-263-5861

NF Physicians Spec.
980 Alness Street
Unit 2
Downsview (Ont.)

Nutri-Dyne
1303 Gerard Street
Toronto (Ont.)
(416) 466-1149

Thorne Research Canada
570 Hood Rd., Unit 8
Markham (Ont.)
(416) 477-0827

Produits disponibles dans les magasins de produits naturels et chez certains praticiens

Herbasanté Inc.
2795 Bates
Suite 206
Montréal (Qc)
(514) 737-7875

Institut Rosell Inc.
8480, boul. Saint-Laurent
Montréal (Qc)
(514) 381-5631

Quest Vitamin Supplies
312-8495 Ontario Street
Vancouver (C.-B.)
(604) 324-0611

Quebeurope Importations
9130 rue Lajeunesse
Montréal (Qc)
(514) 381-9995

Nu-Life
285 Nantucket Blvd.
Scarborough (Ont.)
(416) 750-4100

Flora Distributors
1200 Aerowood Drive
Unit 33
Mississauga (Ont.)
(514) 374-0661
1-800-387-7541

Purity Life
21 Mill Street West
Acton (Ont.)
1-800-265-7268

C.E. Jamieson Ltée
2150 Ambassador Drive
Windsor (Ont.)
(519) 969-7630

Swiss Herbal Products
181 Don Park Road
Markham (Ont.)
(416) 475-6345

Vita Health
150 Begin Ave.
Winnipeg (Ma.)
(204) 661-8386

Bioglan Laboratories
2175 Dunwin Drive
Unit 2
Mississauga (Ont.)
(416) 828-6600

N.B.S. Inc.
C.P. 471
Piedmont (Qc)

Cette liste est incomplète. L'inclusion du nom d'une compagnie dans cette liste ne signifie pas que l'auteur endosse les produits de cette compagnie.

18. Quelques questions

Après la parution d'un texte d'information en édition spéciale pour le Salon de la Femme, et après avoir rencontré en session d'information des gens atteints de candida albicans, j'ai reçu des centaines de questions sur le sujet. J'ai regroupé ici les questions les plus fréquentes.

1. Infections vaginales? Pourquoi dites-vous qu'elles sont causées par le candida? Il peut y avoir bien d'autres causes — en particulier les maladies telles le chlamydia.

Selon le «Dictionnaire de Médecine», une vaginite est une «lésion inflammatoire du vagin»,[42] souvent caractérisée par des pertes blanches. Elle peut avoir différentes causes. Le chlamydia et le trichomonas, ainsi que le candida ou monilia sont trois organismes susceptibles de causer ces vaginites.

Avant de présumer que vos vaginites sont causées par le candida, il est recommandé de consulter votre médecin. Lui seul peut diagnostiquer la cause de vos vaginites.

Si le médecin n'a pas spécifié le type d'infection vaginale, et si cette infection revient ou si on n'a pu en trouver la cause, il est probable que l'infection soit causée par le candida.

Les vaginites ont en majorité les mêmes causes, qu'elles résultent des maladies transmises sexuellement ou du candida. Les maladies transmises sexuellement, de même que la candidose, sont plus fréquentes dans notre société moderne et industrialisée. Notre alimentation carencée affaiblit le système immunitaire ; les antibiotiques détruisent la flore microbienne ; de plus, les relations sexuelles à un trop jeune âge peuvent prédisposer à ce type d'affection. [4]

Toutes les infections vaginales ne sont donc **pas** causées par le candida albicans, mais toutes indiquent une diminution du taux d'acidité vaginale, un déséquilibre organique, ainsi qu'un affaiblissement du système immunitaire. Une femme souffrant de vaginites peut être prédisposée au candida albicans. Il faut alors vérifier si d'autres facteurs sont présents.

2. *Tous ces symptômes généraux sont peut-être des indices d'hypoglycémie ?*
Vrai. C'est pour cela qu'il est nécessaire avant tout de consulter un praticien de la santé.

Si les examens n'ont pas révélé la source de vos malaises, il est possible que vous ayez le candida, c'est une chose à vérifier. De plus, si on diagnostique l'hypoglycémie et que le régime prescrit ne donne que des résultats limités, il faudrait s'assurer que le candida n'en soit pas la cause. Malgré un régime pour réduire l'hypoglycémie, êtes-vous toujours fatigué, faites-vous des vaginites ou des ballonnements ?

L'hypoglycémie peut avoir différentes causes. Cette maladie est causée par une baisse du taux de sucre sanguin au-dessous de la limite (60 à 100 mg pour 100 ml de sang). Un excès de production d'hormones, une insuffisance surrénale, des troubles hépatiques graves ou une carence d'enzymes intervenant dans le métabolisme du glycogène sont autant de facteurs responsables de l'hypoglycémie.

Les causes des déséquilibres organiques favorisant l'hypoglycémie sont souvent celles du candida; les deux maladies peuvent donc sévir simultanément. Dans nombre de cas, il n'existe pas de cause fonctionnelle à l'hypoglycémie; il serait alors sage de s'assurer qu'il ne s'agit pas du candida albicans.

Certains médecins ont vu l'état de leurs patients hypoglycémiques s'améliorer d'étonnante façon lorsque ces derniers suivaient le traitement contre le candida albicans. Maintes fois, le traitement usuel de l'hypoglycémie n'avait apporté que de faibles résultats.

L'on doit se rappeler que le corps est un tout. Une infection localisée peut se répandre et se généraliser. Comme les toxines du candida albicans sous forme mycélienne peuvent contaminer le sang, elles peuvent ainsi irriguer tout l'organisme et affecter différents systèmes : hormonal, respiratoire, reproducteur, cardiaque, nerveux, etc.

3. *J'ai pris des antibiotiques de façon régulière il y a cinq ans. Pourquoi penser que ma flore intestinale est détruite ou affaiblie ? Ça ne se refait pas tout seul ?*

Sous des conditions idéales, la flore intestinale se refait assez bien. Selon le docteur Shahami, cela demande d'un à deux ans — **sous des conditions idéales**.

Pour assurer la régénération de la flore intestinale, il faut respecter rigoureusement les lois de l'hygiène alimentaire.

1. Il ne faut pas consommer de viandes traitées aux antibiotiques ou aux hormones. Étant donné que la majorité d'entre nous mangeons ce type de viande de façon régulière, cette première condition n'est pas respectée.

2. Il faut s'alimenter de fruits et de légumes frais, exempts de pesticides, d'insecticides et d'herbicides. Ce qui n'est pas courant.

3. Il faut éviter les aliments sucrés et le sucre blanc, ainsi que les farines raffinées (blanches). On le fait très rarement.

4. Il faut consommer des aliments contenant des gras insaturés : huiles de tournesol, d'olive, de lin pressées à froid ; des graines ou des noix, amandes, tournesol, noisettes, etc. Or, notre alimentation contient trop de gras saturés et trop peu de gras insaturés.

Étant donné que l'alimentation moderne n'est pas idéale, les conditions idéales à la régénération de la flore intestinale sont rarement rassemblées ; cette refloraison devient longue et laborieuse.

4. Je suis faible... J'ai peur de suivre ce programme. Est-ce que ça peut me faire du mal ?

Il faut avant tout **ne pas diagnostiquer soi-même** la maladie. C'est au praticien de la santé que revient de décider si le candida albicans est responsable de vos malaises.

C'est aussi au praticien de la santé de déterminer votre traitement personnel. Ce traitement sera fait **sur**

mesure selon votre état présent et vos besoins particuliers. Il ne faut jamais décider seul de son traitement.

5. Pourquoi dites-vous que les otites et les bronchites peuvent être reliées au candida albicans?

Les otites et les bronchites ne sont pas nécessairement reliées au candida. Elles ont néanmoins avec le candida une source commune : l'affaiblissement du système immunitaire.

Le docteur William Crook a conseillé un traitement contre le candida albicans à plusieurs enfants souffrant d'otites à répétition. Dans la majorité des cas le problème disparut.[7] Le Dr Orian Truss prescrivit aussi ce traitement à des enfants souffrant d'otites à répétition, et ce, avec beaucoup de succès.[3]

La candidose est causée par un déséquilibre organique, celui-là même qui peut être la source des otites et des bronchites. En rétablissant l'organisme, on guérit la candidose et, de ce fait, on élimine souvent les otites.

En ce qui concerne les bronchites, nous savons que certains types sont causés par le candida albicans.[2]

6. On associe la maladie de Crohn et certaines infections intestinales comme le syndrome du côlon irritable (Irritable Bowel Syndrome) au candida. Existe-t-il vraiment un lien?

La maladie de Crohn (inflammation de l'intestin) peut être causée par différents facteurs, entre autres par le système immunitaire qui s'attaque à ses propres tissus intestinaux. Lors d'une conférence portant sur le candida albicans tenue en juillet 1982, beaucoup de médecins ont déclaré voir des résultats positifs en traitant les gens atteints de la maladie de Crohn de la même manière que s'il s'agissait d'une candidose.

Si le candida albicans, sous forme mycélienne s'enracine dans la muqueuse intestinale, il peut facilement y causer des irritations. Celles-ci peuvent entraîner une réaction du système d'autodéfense qui attaquera le tissu atteint. En éliminant ce qui cause l'irritation, il nous reste à rebalancer le milieu intestinal, y régénérer la flore microbienne et faciliter la cicatrisation.

Dans certains cas, les patients atteints du syndrome du côlon irritable ont vu une amélioration de leur état en utilisant la thérapie contre le candida. De même que pour la maladie de Crohn, le champignon peut être l'une des causes de l'irritation.

7. Y a-t-il un lien entre le candida albicans et la sclérose en plaques?

Selon les recherches des docteurs Truss et Crook, et des médecins présents à la «Conference on Candida», certaines formes de sclérose en plaques peuvent avoir comme cause le candida albicans. Ils notèrent, comme dans le cas de Crohn, que certains patients atteints de sclérose en plaques voyaient leur état s'améliorer suite au traitement de la candidose. Cela veut-il dire que le candida soit l'une des causes de la sclérose en plaques? Selon William Crook, le candida n'en est pas **la** cause mais on croit de plus en plus que ce micro-organisme joue un rôle important dans les causes de cette maladie.

8. Puisque le candida produit des toxines qui vont dans le sang, ne serait-il pas bénéfique de désintoxiquer le foie?

Certains praticiens de la santé des milieux holistiques ont eu recours à la désintoxication du foie dans le traitement de la candidose. Ils recommandent alors au patient de consommer des aliments alcalins et de suivre un programme de désintoxication, dont l'emploi de produits de phytothérapie comme le *Boldo* et l'artichaut.

Cela peut s'avérer très utile tant qu'on se rappelle que la désintoxication du foie ne règle pas tous les problèmes; il faut aussi refaire la flore microbienne, détruire et affamer le champignon. Règle générale, si l'alimentation est saine et si le foie n'est pas trop intoxiqué, laissons agir Dame Nature.

9. Que penser des irrigations du côlon dans le traitement contre le candida?

La croûte sur la paroi du côlon crée un milieu idéal pour le développement du candida. Les irrigations du côlon peuvent l'éliminer et priver la levure d'un lieu de prédilection. Il est nécessaire de régénérer la flore microbienne après toute irrigation puisqu'elle est perturbée par celle-ci. Les irrigations ne sont pas toujours nécessaires et sont souvent onéreuses. Les éviter si possible. C'est au praticien de la santé de décider de la valeur d'une irrigation dans certains cas.

10. Que pensez-vous des lavements?

Les lavements peuvent s'avérer utiles. Il faut s'assurer que l'agent utilisé pour effectuer le lavement est naturel. Évitez à tout prix les produits à base d'huile minérale; utilisez des éléments tels les graines de lin ou de psyllium. Par contre, comme pour les irrigations du côlon, il vaut mieux les éviter si possible. Laissons à la nature le temps de faire son travail.

11. Si je suis constipé durant ma diète, que faire ?
Outre les irrigations et les lavements, il existe plusieurs méthodes «douces» qui peuvent aider à résoudre ce problème. En voici deux.
- Augmenter sa consommation d'aliments contenant des fibres et sa consommation de liquides.
- **Faire des exercices** abdominaux, à l'aide d'une planche inclinée (planche abdominale.). (Voir la section en annexe.)

12. Le jeûne peut-il aider à l'élimination du candida albicans ?
Il existe différentes écoles de pensée en ce qui concerne le jeûne. Certaines sont contre en toute circonstance, d'autres croient que le jeûne est la méthode idéale pour guérir tous les maux. Certains sont d'avis que le jeûne est la solution à seulement quelques problèmes. Quoi qu'il en soit, aucune étude n'a été faite sur l'effet du jeûne sur la levure candida. L'Énergie Vitale, cette énergie qui opère la guérison chez l'être humain, doit nécessairement être concentrée pour quelque maladie que ce soit. Selon le naturopathe Paul Bragg : «En jeûnant, nous offrons à notre corps un repos physiologique — ce repos aide à refaire notre «Puissance (énergie) Vitale» et plus nous avons de cette «Puissance Vitale», plus les poisons et les toxines seront éliminés de notre corps».[43] Quant à lui, le docteur Stephen Levine croit que : «Lorsque des patients souffrant de maladies (allergies) écologiques jeûnent, leur

sensibilité aux aliments et aux produits chimiques est exacerbée».[11]

Différentes études scientifiques partagent autant d'avis à ce sujet; les experts ne s'entendent pas. C'est donc au patient de décider, après discussion avec son praticien, si le jeûne représente ou non une solution pour lui. Si l'on opte pour le jeûne, il vaut mieux le faire à une maison de jeûne réputée sous la supervision d'un(e) expert(e).

13. Que penser des combinaisons alimentaires dans le traitement du candida?

Les combinaisons alimentaires, quoique difficiles à suivre pour certains, peuvent rétablir les fonctions digestives. En respectant les compatibilités digestives de certains éléments, on assure, entre autres, une meilleure digestion. Il serait sage, avant d'opter pour ou contre les combinaisons alimentaires, de lire les deux livres de Lucile Bordeleau à ce sujet (publiés chez Lazer).

14. Mon enfant peut-il souffrir de candida albicans?

Le dossier médical de votre enfant parle-t-il d'otites à répétition, de colites et d'antibiotiques? A-t-il des problèmes d'apprentissage ou est-il hyperactif? A-t-il des rages de sucre? S'il a un ou plusieurs de ces symptômes et qu'aucun examen n'a pu en déceler les causes, il serait sage d'essayer le traitement contre le candida. Chez un enfant, il suffit de couper les sucres, de lui donner une alimentation plus saine, de lui faire prendre des bactéries lactiques, des vitamines (s'il y a lieu) et des gélules d'ail.

15. Je me sens faible, pourtant je m'alimente bien en prenant des suppléments de vitamines et de minéraux. Je prends aussi 20grammes de protéines en poudre par jour. Que puis-je faire ?

Seul le praticien qui vous traite peut déterminer ce qu'il faut faire.

Les protéines exigent beaucoup d'énergie vitale afin d'être métabolisées ; l'énergie requise pour utiliser cette protéine peut être plus grande que l'énergie fournie par la protéine. On se retrouve donc souvent déficitaire. Qui plus est, la majorité des suppléments de protéines en poudre sont faits à base de soja, ou de lait et d'oeuf. Pris en grandes quantités, ils peuvent favoriser des réactions allergiques. Les suppléments de protéines en poudre contiennent souvent des produits édulcorants (dextrose, fructose, lactose, etc.) qui sont des formes de sucre. Il est possible que la protéine contienne aussi de la levure.

L'être humain n'a pas besoin d'autant de protéines qu'on semble le croire. Selon le biochimiste Désiré Mérien, l'homme adulte a besoin de 0,4 à 0,8 gramme de protéines par kilogramme.[44] Un homme de 160 livres ou d'environ 70 kilos aurait besoin d'entre 28 et 56 grammes de protéines par jour, beaucoup moins que ce qu'on recommande en général aujourd'hui. Ce taux varie selon l'activité de l'individu.

Il faut vérifier si les suppléments de vitamines et minéraux contiennent des éléments pouvant créer des réactions allergiques : produits laitiers, levure, soja, blé, maïs, etc.

Vérifier auprès de votre praticien s'il n'y aurait pas d'autres causes à votre fatigue, dont la réaction de Herxheimer.

16. Mon médecin m'a prescrit du nystatin (mycostatin)
en comprimés. J'ai toutes sortes de réactions, le nystatin
peut-il en être la cause ?

Le nystatin en comprimés est enrobé de sucre, ceci
peut causer des réactions indésirables. Il ne faut pas
oublier que le nystatin est un antibiotique. Lorsque c'est
possible, il est préférable d'utiliser un fongicide sécuritaire, sans effets secondaires. L'ail est certainement
le meilleur produit en ce cas. Si vous avez besoin d'un
fongicide plus puissant, l'acide caprylique est indiqué.
Cet acide gras, comme tout acide gras, peut néanmoins
causer des problèmes de foie chez l'individu dont le
foie est très sensible. Par contre, si ce problème n'existe
pas, l'acide caprylique est le fongicide tout indiqué.
Le nystatin ne tue le candida qu'à la surface ; l'acide
caprylique tue même le candida logé dans les muqueuses. Parlez-en à votre médecin.

17. Je prends de l'acide caprylique, ça me donne des
brûlements d'estomac et d'autres problèmes, ça sem-
ble affecter mon foie. Que faire ?

Il faudrait vérifier ce que contient votre supplément d'acide caprylique. Les agents utilisés pour lier
l'acide caprylique peuvent vous causer des problèmes.

De trop grandes doses d'acide caprylique peuvent
causer des brûlements d'estomac ; éviter d'en prendre
plus de 1,800 mg par jour. Certaines compagnies
recommandent d'en prendre jusqu'à 3,600 mg par jour ;
dans la majorité des cas c'est définitivement trop.

L'acide caprylique est un acide gras à courte
chaîne. Comme pour tout acide gras, le foie entre en
jeu. Les individus qui ont le foie «sensible» doivent
être prudents en utilisant ce supplément, autant que

lorsqu'ils consomment des gras naturels dont les huiles pressées à froid.

Parlez de vos problèmes à votre praticien de la santé; il existe différentes alternatives à l'acide caprylique, dont l'ail.

Par contre, si l'acide caprylique ne cause pas de problèmes, il est un puissant fongicide qui donne des résultats plus rapidement que tout autre et ce, de manière naturelle.

18. Une analyse sanguine peut-elle déterminer si j'ai la candidose?

Oui. Il existe des analyses de sang pour déceler le candida. Les laboratoires *Cerodex* (par l'entremise de *Seroyal Canada*) et *Allerg Immuno Technologies Inc.* de Newport Beach en Californie ont tous les deux mis au point des analyses. De plus, le laboratoire *Cybermedix* de Montréal devrait avoir dès octobre 1987 le matériel requis pour ces analyses.

Il reste néanmoins à déterminer la précision de ces examens. Notons que le diagnostic doit être basé avant tout sur l'expérience clinique du praticien.

19. Comment trouver un praticien de la santé qui puisse traiter la candidose. Un praticien qui puisse me conseiller autant en matière de prévention que de traitement et qui soit orienté vers la nutrition?

La nutrition est ce qui importe le plus en ce qui concerne le traitement du candida. Il est essentiel qu'un praticien vous conseille sur les lois de la nutrition. Vous pouvez consulter différents organismes. Je donne ici une liste incomplète des organismes qui peuvent vous renseigner : Le Collège des naturopathes du Québec,

Montréal; la Fédération québécoise des associations pour la promotion de la santé intégrale, Montréal; l'Association québécoise pour la promotion de la santé, Montréal; Guide ressources (revue), Montréal; l'Association des hypoglycémiques; la Fondation de recherche et d'information sur le Candida (Québec), le Centre d'hygiène orthobiologique, Montréal.

20. *Je ne veux pas prendre de suppléments alimentaires. J'ai le candida albicans. Comment m'en débarrasser? Puis-je faire une cure de jus?*

L'essentiel de la thérapie demeure la **diète**. On peut guérir la candidose sans suppléments alimentaires en n'utilisant que la diète.

En ce qui concerne la diète ou la cure de jus, il faut avant tout s'assurer que l'état de santé nous permet de faire ce genre de cure. Il faudrait faire une cure de jus de légumes et non de jus de fruits (les fruits sont une source concentrée de sucre); n'utilisez que des légumes frais dont on extrait le jus avec un extracteur, si possible des légumes cultivés sans pesticides et herbicides (biologiques).

21. *Mon praticien me prescrit des «produits» pour traiter le candida. Il se dit expert en ce genre de traitement et il ne m'a pas parlé de changer mon alimentation ou d'exclure les sucres ou produits raffinés. Que faire?*

Premièrement, votre praticien n'est certainement pas un «expert» en ce domaine. Car on ne peut escompter de résultat sans changement de votre mode de vie et surtout de votre alimentation. Le petit champignon est la cause secondaire de vos problèmes de santé, il faut s'en rappeler; c'est un mode de vie irrespectueux des lois de la santé (physique, mentale, morale) qui est la cause première de tout déséquilibre de l'organisme.

Il est essentiel de se rappeler cet aspect fondamental : sans diète, il ne peut y avoir de bons résultats. Que vous utilisiez des produits pharmaceutiques ou des produits «naturels», la diète est la condition *sine qua non* de toute guérison.

Comme avec tout autre maladie, la personne souffrant d'un taux trop élevé de levure doit elle-même assumer la responsabilité de son état de santé.

Mais on ne peut pas régler ses problèmes de santé sans changer son hygiène personnelle : hygiène mentale, morale et physique.

En fin de compte, comme l'a si bien dit Dominique Vincent : «La solution ne peut être qu'une transformation radicale de nos attitudes et de notre mode de vie. Le candida, avec le SIDA d'ailleurs, est la maladie la plus révolutionnaire de notre époque, qui ne laisse derrière lui que des êtres amoindris et souffrant une véritable déchéance, ou des êtres qui prennent en main leur vie et leur santé. Le candida est là pour faire son travail de nettoyage ou pour provoquer notre prise de conscience; nous avons le choix...».[45]

22. Le candida peut-il engendrer le SIDA ?

La réponse est non, non, non. Si le SIDA et le candida existent simultanément, on peut blâmer avant tout notre mode de vie contre-nature. La nature fait bien les choses, c'est l'être humain qui, irrespectueux de ses lois, crée le terrain idéal pour ces maladies. Mais, il faut le rappeler, le candida **n'est pas** le précurseur du SIDA.

132

23. Que penser de la réflexologie ou de l'acupuncture dans le traitement de cette maladie?

Le corps est un tout, donc si vous avez des problèmes qui peuvent être résolus par la réflexologie ou l'acupuncture, tant mieux! Ces deux disciplines peuvent sûrement aider en équilibrant les énergies du corps. De même, la digitopuncture, la chiropractie, l'ostéopatie et les autres disciplines spécialisées peuvent être de quelque secours si vous avez des problèmes qui leur sont spécifiques. Par contre, l'on ne doit pas oublier que **la diète est la base de la thérapie** et que ces pratiques doivent être utilisées en conjonction avec elle.

24. Je surveille mon alimentation, je prends des bactéries lactiques et un bon fongicide. Tout va bien. Y a-t-il autre chose à faire afin de hâter la guérison?

Oui, il y a plusieurs autres choses à faire. Il faut avant tout respecter les facteurs naturels qui aident à conserver la santé:
- l'exercice physique (selon vos capacités et vos moyens financiers);
- prendre des bains de soleil et d'air (profiter de l'été pour ensoleiller et aérer votre corps);
- apprendre à se détendre, à relaxer;
- garder votre peau, votre chevelure, vos dents et ongles propres;
- porter autant que possible des vêtements qui laissent respirer votre corps (le coton par exemple). Les femmes souffrant de vaginites doivent éviter les sous-vêtements qui coupent l'air. Les gens qui souffrent de champignons aux pieds et/ou de pied d'athlète doivent aérer leurs pieds. Les champignons détes-

tent le soleil et l'air frais. Vous ne trouvez des moisissures qu'à des endroits sombres et humides ;

- dormez afin de bien récupérer ;
- apprenez à bien respirer, quoi qu'on en pense, la
majorité des gens respirent mal ;
- faites de bonnes lectures et entretenez des relations
cordiales ;
- regardez-vous tous les jours, matin et soir, dans un
miroir et dites-vous que vous allez de mieux en
mieux, que votre corps se nettoie, que vous sentez
votre énergie vitale augmenter de jour en jour ;
- il faut apprendre à **s'aimer soi-même**. Félicitez-vous
de vos réussites, trouvez-vous beau/belle, acceptez-
vous tel que vous êtes et soyez déterminés à changer
ce qui ne vous plaît pas ;
- vous êtes uniques, irremplaçables. Alors, prenez bien
soin de votre personne.

Je vous suggère fortement de lire «Les Facteurs
naturels de santé», par André Passebecq, M.D., N.D.

19. Exercices

L'exercice physique est tellement important pour le bien-être, que nous soyons ou non en santé, qu'il m'a semblé utile de présenter ici quelques exercices de base. Il va sans dire qu'il faut consulter son médecin avant d'entreprendre un programme d'exercices si l'on a des doutes sur son état de santé ou si des conditions pathologiques particulières sont à craindre.

L'important est de bouger, de faire circuler le sang. Il existe plusieurs sortes d'exercices qui ont différents buts. Les exercices présentés ici ont deux objectifs : les exercices abdominaux renforcent les muscles du ventre et aident à renforcer et à assouplir les muscles du bas du dos ; les exercices de flexibilité, dont les tractions, servent essentiellement à renforcer les pectoraux, les triceps, le deltoïde et les muscles situés dans le haut du dos.

Les astérisques donnent le degré de difficulté des exercices. Un seul astérisque démontre que l'exercice est simple ; deux démontrent un exercice moyen.

La majorité de ces exercices sont assez simples et peuvent être pratiqués par tous.

Quelques points à retenir

Faites les exercices lentement. Persistez, même si vous ne pouvez faire le mouvement au complet les premières fois. L'important c'est de faire le mouvement. Respectez votre condition physique présente. Prenez votre temps, lentement, graduellement vous ferez les exercices avec plus de facilité. Faites les exercices régulièrement, au moins quatre fois par semaine. Portez des vêtements et des chaussures souples qui ne nuisent pas aux mouvements. Faites les exercices sur un tapis moelleux ou sur un tapis conçu spécialement à cet effet. Certains peuvent être faits sur le lit.

Pour mieux vous informer sur le sujet, je vous recommande deux bons livres : *L'exercice physique pour tous* du docteur Guy Bohémier, N.D. Ce livre n'est plus disponible en librairie, mais les marchands de livres usagés en reçoivent souvent. *Soyons forts* du docteur J.E. Ruffier. Un véritable manuel de culture physique édité par la maison Dangles.

Les exercices 1 à 3 favorisent les abdominaux (muscles du ventre), tandis que les exercices 4 à 11 sont des exercices de flexibilité.

Dans tout exercice, il faut expirer lorsqu'il y a effort et inspirer lorsqu'il y a retour à la position initiale.

Les exercices présentés ici sont exécutés par Martine Garneau, psychohygiéniste pratiquant à Montréal, et l'auteur.

On peut se procurer la planche inclinée dans les bons magasins de sport ou chez **Weider**, 2875, rue Bates, Montréal – (514) 731-3783.

Exercice 1*

Allongé sur le sol, les mains sur le côté du corps, bras droits. Ramener les genoux vers le haut. Lorsque les genoux sont à 90°, les saisir
avec vos mains tel qu'illustré sur la photo. À l'aide de vos bras, ramener
les genoux sur le ventre le plus possible, contre la partie supérieure
de la poitrine. Allonger ensuite les jambes pour reprendre la position de départ. Les genoux doivent rester ensemble pendant tout le
mouvement. Faire l'exercice lentement, inspirer lors du retour, expirer lorsque les genoux touchent le ventre. Faire cinq à dix fois au
début et augmenter selon vos capacités.

Exercice 2**

Couché sur le dos, les mains derrière la nuque et les genoux pliés tel qu'illustré. Relever le tronc jusqu'à la position assise et essayer de toucher les genoux avec vos coudes tel qu'illustré. Se renverser en arrière lentement en retournant à la position initiale. Afin de faciliter l'exercice, demandez à quelqu'un de tenir vos chevilles. Pour plus d'efficacité, faire l'exercice sur une planche inclinée (abdominale) conçue à cet effet. Essayer de faire cinq fois l'exercice au début puis augmenter graduellement.

Exercice 3*

Allongé au sol tel qu'illustré. Lever lentement les jambes en angle droit sans plier les genoux. Ramener les jambes à la position de départ. Faire cinq fois au début, puis augmenter progressivement. On peut utiliser la planche inclinée pour cet exercice.

Exercice 4*

Le corps droit, debout ou assis, il s'agit tout simplement de faire une rotation de la tête. Tourner la tête lentement vers la gauche le plus loin possible, puis vers l'arrière, vers la droite puis vers l'avant. Refaire l'exercice en commençant par le côté droit. Voir les illustrations. Débuter avec cinq mouvements de chaque côté.

Exercice 5*

Les pieds écartés, jambes droites, bras sur le côté tel qu'illustré. Fléchir le tronc vers le côté droit puis retourner à la position initiale et fléchir vers le côté gauche. Il est important de ne pas bouger les jambes et de ne bouger que le haut du corps. Débuter avec cinq exercices de chaque côté.

Exercice 6**

Même principe et position de départ que l'exercice précédent. Cette fois, fléchir vers l'avant, revenir à la position initiale et fléchir vers l'arrière. En faire cinq avant et cinq arrière.

Exercice 7**

Debout, pieds réunis, jambes bien tendues tel qu'illustré. Fléchir le tronc sur le bassin, essayer de toucher la pointe de pieds, ne pas plier les genoux et garder le dos aussi droit que possible, ne plier qu'au tronc. Aller aussi loin que possible même si l'on ne touche pas la pointe des pieds. Retourner à la position initiale. En faire cinq pour commencer.

Exercice 8**

Debout, jambes écartées tel qu'illustré en tenant un manche à balai
(ou autre) sur l'arrière de la nuque. Tourner lentement vers la droite,
puis vers la gauche. Il ne faut pas bouger les pieds, aller aussi loin
que possible. En faire dix en tout. Cet exercice peut être fait assis
aussi bien que debout.

Exercice 9**

Les pieds écartés, genoux tendus, les bras ouverts en croix, le tronc plié tel qu'illustré. Tourner le tronc de côté et toucher le pied gauche avec la main droite, revenir à la position initiale puis toucher le pied droit avec la main gauche. En faire dix au début.

Exercice 10**

Couché sur le côté droit, le corps bien droit tel qu'illustré. Lever la jambe droite tel qu'illustré. Faire cinq fois puis se coucher sur le côté gauche et procéder de la même façon avec la jambe gauche, cinq fois. Pour plus d'effet, on peut faire l'exercice sur une planche inclinée. Comme dans tous les exercices, augmenter les répétitions selon vos capacités.

Exercice 11

Cet exercice n'a pas d'effet sur la flexibilité. C'est surtout un exercice qui aide à renforcer les muscles du haut du dos, de l'arrière des bras et de la poitrine. Couché à plat ventre, la pointe des pieds et les mains touchant le sol, le corps droit. Redressez les bras en soulevant le corps (qui doit toujours rester bien raide) tel qu'illustré. Revenir ensuite (lentement) à la position initiale. Ceux qui trouvent cet exercice difficile peuvent simplement soulever le haut du corps tel qu'illustré. Ceux qui le trouvent trop facile peuvent le faire avec la pointe des pieds posée sur le bord d'une chaise. Commencer par cinq répétitions.

20. Conclusion

Le premier objectif de ce livre n'est pas de vous informer au sujet du candida ou de populariser une «nouvelle maladie», mais plutôt de sensibiliser le lecteur et la lectrice au fait que les gestes que nous posons sont à la source de notre santé ou de notre maladie. Notre alimentation, notre état d'esprit, notre état d'âme, notre environnement social et physique prennent tous part à notre état de santé. Il n'y a qu'une exigence en ce qui concerne la santé : **prendre nos responsabilités**. Il n'y a personne qui puisse le faire pour nous. Les professionnels de la santé sont là pour nous guider et non pour agir à notre place.

L'approche doit être holistique, complète, globale. C'est l'être humain complet, corps et esprit, membre d'une communauté particulière, vivant dans le temps et l'espace, tributaire d'une histoire physique, culturelle et spirituelle qui a besoin de guérison. Comme le disait Paracelse au XVIe siècle : «La nature est un grand médecin et, ce médecin, l'homme le possède en lui».

Le candida est un exemple flagrant de ce qui survient lorsque l'humain ne respecte pas les lois immuables de la nature. Tout comme l'hypoglycémie ou le SIDA, le candida est le signe pénible d'une société qui doit changer son attitude vis-à-vis la nature ou en souffrir les conséquences. Ce qui est rassurant, c'est qu'il n'est pas trop tard pour commencer.

Si vous n'êtes pas bien dans votre peau, j'espère que ce livre vous a apporté l'explication et la solution à vos maux. Si vous êtes en santé, j'espère que ce livre vous aidera à garder cet état et vous sensibilisera à aider les autres qui ne sont pas aussi sains. Si vous êtes un praticien de la santé, j'espère que ce livre vous a aidé à résoudre l'énigme que posent certains de vos patients et qu'ainsi informé, vous pouvez maintenant les aider.

21. Lexique

Allergène: Se dit de toute substance susceptible d'entraîner une réaction allergique.

Allopathie: La médecine conventionnelle. Elle utilise la chimiothérapie et la chirurgie.

Carence: Insuffisance ou absence d'une ou de plusieurs substances métaboliquement indispensables (protéines, lipides, glucides, vitamines, minéraux, etc.).

Corticostéroïde: Toute hormone sécrétée par le cortex surrénal ainsi que des substances qui en dérivent et de leurs succédanés synthétiques.

Enzyme: Molécule protéique permettant l'augmentation de la vitesse des réactions biochimiques, ce sans modifier l'équilibre final.

Glucocorticoïde: Se dit de tout corticostéroïde dont l'action se rapproche de celle du cortisol (hormone stéroïdienne qui est transformée en cortisone par le corps).

Ce sont de puissants médicaments anti-inflammatoires. Aussi utilisés comme anti-allergiques.

Homéopathe: Celui qui pratique l'homéopathie.

Homéopathie: Méthode thérapeutique basée sur l'administration à doses très faibles de substances capables de provoquer, chez l'être humain en santé, des manifestations semblables aux symptômes présentés par le malade. Beaucoup de naturopathes, d'acupuncteurs et certains médecins allopathes pratiquent l'homéopathie.

Homéostase: La tendance de l'organisme à maintenir l'équilibre de ses différentes constantes à des valeurs ne s'écartant pas de la normale. Ex.: même par temps froid, le corps assure le maintien de sa température.

Hypoglycémie: Un défaut de fonctionnement dans le système de la régulation des sucres (glycorégulation) qui entraîne l'abaissement du taux de sucre sanguin au-dessous de la valeur limite. Les symptômes de l'hypoglycémie et de l'hypothyroïdie ressemblent beaucoup à ceux du candida. Ceci s'explique tout simplement par le fait que tout déséquilibre important d'un organe ou d'une glande peut affecter tout l'organisme; l'effet n'est jamais localisé en un seul endroit. À cause de cette similitude de symptômes, il est nécessaire de consulter votre médecin afin de vous assurer que vous ne souffrez ni d'hypoglycémie, ni d'hypothyroïdie.

Hypothyroïdisme: Une insuffisance de la fonction thyroïdienne (fonction de la glande thyroïde).

Lipase: Enzyme qui hydrolyse les lipides (gras) et libérant ainsi des acides gras.

Macrophage: Une cellule dérivant des monocytes sanguins qui joue un rôle important dans l'immunité. Ils jouent possiblement un rôle dans la synthèse des anticorps.

Médecine holistique: Médecine qui considère la santé comme un état de bien-être du corps, de l'âme et de l'esprit. C'est l'individu global qui est pris en considération et traité. Il existe une association de médecine holistique au Québec.

Muqueuse: Une membrane tapissant la paroi interne des cavités naturelles et de la plupart des organes creux.

Mycélium: Filament ramifié coenocytique ou septé, né d'une spore et croissant par allongement de ses extrémités.

Naturopathie: De l'anglais "nature" et "path" — la voie de la nature. Le naturopathe (celui qui pratique la naturopathie) utilise les voies naturelles dans sa thérapie. Il éduque le malade afin que celui-ci respecte les facteurs naturels qui mènent à la santé. Au Québec, il existe un Collège des Naturopathes et l'Institut Naturopathique (à Montréal) où l'on peut étudier cette école de pensée thérapeutique.

Nutritionniste: Une personne spécialisée dans les sciences de la nutrition (science consacrée à l'étude des aliments et de leur valeur nutritionnelle, des réactions du corps à l'ingestion de nourriture ainsi que des variations de l'alimentation chez le sujet sain et malade). Le nutritionniste doit être différencié du diététiste.

Oestrogène: Stéroïdes hormonaux, synthétisés chez la femme dans les follicules ovariens et dans le placenta durant la grossesse; chez l'homme dans les testicules. Leur sécrétion est cyclique chez la femme. Leur action s'exerce sur les voies génitales et sur les caractères sexuels secondaires féminins à la puberté. On peut aussi produire des oestrogènes de synthèse en laboratoire.

Organique: Issu directement d'un organisme vivant. Des aliments organiques ont été produits sans l'utilisation d'éléments artificiels (pesticides, herbicides ou engrais chimiques).

Pathogène: Ce mot vient du grec "pathos" – *souffrance* et "gennân" – *provoquer* ou *causer*. Un élément pathogène est donc un élément qui cause la souffrance.

Phagocytose: L'action ou la fonction qu'ont certains organismes vivants d'absorber et de digérer des particules ou microbes les éliminant ainsi de leur milieu.

Phytothérapie: L'art et la science de traiter les maladies avec des plantes.

Prednisone: Un dérivé de la cortisone.

Progestérone: Une hormone synthétisée par le corps humain au cours de la grossesse ainsi (faiblement) que par la corticosurrénale et les testicules. On fabrique de la progestérone synthétique pour fins médicales.

Protéase: Une enzyme protéolytique (enzyme qui assure la destruction ou la réduction des protéines en leurs éléments constitutifs, les acides aminés).

Raffiné: Un produit raffiné en est un duquel on a enlevé des éléments s'y retrouvant dans l'état naturel. On le modifie, donc on le dénature.

Toxine: Un élément dont le corps n'a pas besoin et qu'il ne peut utiliser. Il doit donc l'éliminer. Les toxines empêchent l'activité des enzymes, dérangent le bon fonctionnement et la reproduction des cellules et fatiguent les organes d'élimination.

Bibliographie

1. *The Yeast Syndrome*, John Parks Trowbridge, M.D. & Morton Walker, D.P.M. (New York, N.Y. & Toronto, Ont., 1986), Bantam Books.

2. *Candida: A Twentieth Century Disease*, Shirley Lorenzani, Ph.D. (New Canaan, Conn., 1986), Keats Publishing Inc.

3. *The Missing Diagnosis*, C. Orian Truss, M.D. (Birmingham, Al., 1982).

4. *Candida Albicans: Could Yeast Be Your Problem?*, Leon Chaitow, N.D. (Wellingborough, Eng. et New York, N.Y., 1985), Thorsons Publ. Group.

5. *Candida Albicans: How To Fight An Exploding Epidemic Of Yeast-related Diseases*, Ray C. Wunderlich Junior, M.D. & Dwight K. Kalita, Ph.D. (New Canaan, Conn., 1984), Keats Publishing Inc.

6. *Dr Crook Discusses... Yeasts... and how they can make you sick*, William Crook, M.D. (Jackson, Tn., 1986), Professional Books.

7. *The Yeast Connection*, William Crook, M.D. (Jackson, Tn., 1986), Professional Books.

8. *L'homme dans son milieu*, En Coll. (Montréal, Qué., 1982), Guérin Éditeur Ltée.

9. *Yeast : Facts & Fallacies*, dans *Alive-Focus on Nutrition* (Vancouver, B.C., no. 3), Canadian Health Reform Products Ltd.

10. *Dr. Berger's Immune Power Diet*, Stuart M. Berger (Scarborough, Ont., 1986), Signet Books.

11. *Antioxydant Adaptation : Its Role in Free Radical Pathology*, Stephen A. Levinen, Ph.D. & Parris M. Kidd, Ph.D. (Vancouver, B.C., 1986), Sisu Ent.

12. *Médecine de demain*, Jean Rocan (Tingwick, Qué., 1986), Éditions Jean Rocan.

13. *Bergey's Manual of Determinative Bacteriology*, R.E. Buchanan & N.E. Gibbons (Baltimore Md.), The Williams & Wilkins Company.

14. *Nutraerobics*, Jeffrey Bland, Ph.D. (San Francisco, Ca., 1985), Harper & Row Publishers.

15. *How To Live Longer And Feel Better*, Linus Pauling (New York, N.Y., 1986), W.H. Freeman & Co.

16. *Lick The Sugar Habit*, Nancy Appleton, Ph.D.

17. *Les vitamines*, Michael Colgan, Ph.D. (Québec, 1986), Éditions Libre Expression.

18. *The Nutrition Desk Reference*, R.H. Garrison, R.Ph. & E. Somer, M.A. (New Canaan, Conn., 1985), Keats Publishing.

19. *1984-85 Yearbook Of Nutritional Medicine*, Jeffrey Bland, Ph.D. et coll. (New Canaan, Conn., 1985), Keats Publishing.

20. *Soyez bien dans votre assiette jusqu'à 80 ans et plus*, Dr C. Kousmine (France, 1980), Tchou.

21. *Les vitamines*, J. Leboulanger (Neuilly-sur-Seine Croix, 1984), F. Hoffmann-La Roche & Cie. Aussi : *La réponse au Candida Albicans*, Jean-Pierre Busby (St-Jérôme, Québec, 1987) et la rubrique «Au Naturel» dans «L'Annonceur» de St-Jérôme.

22. Dans la revue *Mycologia*, Gary Moor, S. Atkins, vol. 69, 1977.

23. *Advanced Treaties In Herbology*, Dr Edward Shook (Beaumont, Ca., 1978), Trinity Center Press.

24. *Inhibitory Action Of Garlic On Growth And Respiration Of Micro-Organisms*, Tyarcke et Gos cités dans *Candida Albicans : Could Yeast Be Your Problem?*, Leon Chaitow, N.D., D.O.

25. *The Merck Index*, 9e édition, page 36.

26. *The Rodale Herb Book*, Les Éditeurs de Prévention (Emmaus, Pa., 1974), Rodale Press Inc.

27. *Physician's Desk Reference* (Oradell, N.J., 1983), Medical Economics Co.

28. *Les vertus de l'ail*, Jean-Marc Brunet, Ph.D., dans la chronique «Vivez en Santé, Vivez Heureux», *Journal de Montréal*, 9 mars 1985.

29. L'information provient de *Bionostics, Inc.*, Lisle/Ill. et de conversations entre l'auteur et le Dr Khem Shahani, professeur à l'université du Nébraska.

30. *Lactobacillus Acidophilus As A Therapeutic Agent*, R.H. Ellis, Ph.D., extraits de sa thèse de doctorat présentée à l'Université du Wisconsin, 1957. Extrait de l'ensemble préparé pour les praticiens de la santé par la Fondation de recherche et d'information sur le Candida (Québec).

31. *The Complete Book of Vitamins*, les Éditeurs de Prévention Magazine (Emmaus, Pa., 1984), Rodale Press.

32. *How To Get Well*, P. Airola, N.D., Ph.D. (Phoenix, Ariz., 1986).

33. *Vitamin C In The Treatment Of Acquired Immune Deficiency Syndrome (AIDS)*, Robert Cathcart, M.D., dans *Medical Hypothesis* (1984) 14:423-433.

34. *Vitamin C, The Common Cold And The Flue*, Linus Pauling (San Francisco, Ca., 1976), W.H. Freeman & Company.

35. L'information provient d'une conversation téléphonique entre l'auteur et le Dr Richard Passwater.

36. *Super Nutrition*, Richard Passwater (New York, N.Y., 1975), Pocket Books.

37. L'information provient d'une conversation entre l'auteur et le Dr Stephen Levine.

38. *Hair Tissue Mineral Analysis*, Jeffrey Bland, Ph.D. (New York, N.Y., 1984), Thorsons Publishers Inc.

39. *Découvrez l'huile d'onagre*, Ginette Désilets dans *Médecines Douces = Santé*, vol. 1 no 1.

40. Information fournie par la Fondation de recherche et d'information sur le Candida (Québec).

41. *Natura Medicina And Naturopathic Dispensatory*, A.W. Kuts-Cheraux (Yellow Springs, Ohio, 1953), Antioch Press.

42. *Dictionnaire de médecine*, Flammarion (Paris, 1975).

43. *The Miracle Of Fasting*, Paul C. Bragg, N.D. (Santa Barbara, Ca., 1985), Health Science.

44. *Les clefs de la nutrition*, Desire Merien (St-Jean-de-Braye, France, 1982), Éd. Dangles.

45. *Candida Albicans : les implications énergétiques et psychologiques*, Dominique Vincent, allocution lors du symposium sur le candida albicans, Salon de la Femme (Montréal), avril 1987.

46. Shahani, K.M.; J.R. Vakil, *Natural Antibiotic Activity of Lactobacillus Acidophilus and Bulgaritus... Cultures*, Dairy Prod. Journal, Vol. 12(2):pp. 8-11, 1977.

47. L'information provient d'une conversation téléphonique entre l'auteur et madame Natashia Trenev.

48. *L'Art médical*, Paul Cacton, M.D. (Paris, 1965), Librairie le François.

Lithographié au Canada
sur les presses de
Métropole Litho Inc.